ロバート・ツルッパゲとの対話

The conversation with Robert Tuluppague

ワタナベアニ *Ani Watanabe*

センジュ出版

ロバート・ツルッパゲとの対話

かけがえのない家族や、愛すべき友人、
尊敬する仕事の仲間はもとより、
気が乗らない合コンで会った
顔も思い出せない人々にも平等に捧げる。

天才の発明は
百年後に常識になるが、
バカの発言は
千年後も謎のまま輝く。

ロバート・ツルッパゲ

ロバート・ツルッパゲとの対話 目次

客観的な前書き

皆さんこんにちは。通りがかりの者です。この本は、ワタナベアニというよく知らないヤツが書いた、「くだらない大人になるための本」だそうです。あらかじめ頭のいい人が読むとバカになる可能性があるので、受験を控えたお子さんがいる家庭などではリビングに置きっ放しにしないようご注意ください、とのことです。

この本は、「得をしないことを目的に書かれている」と聞きましたが、そんなものが必要なのでしょうか。まあ売っているんだから必要とする人もいるんでしょう。とにかく、こう書けと渡されたメモの通りに書きますね。

すべてのパラダイムは時代によって変わり続けていますから、毎日を「生きにくい」と感じている人も少なくないと思います。お金をはじめとした目先の損得ばかりに追い立てられている人もいるでしょう。あの人とつきあっておくと得だ。損になりそうだからつきあわない。皆がそんな価値観で話していますが、生きるうえで、損得よりも大事なことがあります。確信はなくてもうっすらわかっているはずです。それはこの本を読んで、あなたが自分の答えを出してもらえばいいと思います。

深刻な悩みだと思っていたことが単純に解決したり、死にたいと思うほど悩み苦しんでいたことでも、見方を変えてみると実は何も問題などなかったと気づいたりするものです。どんなことにも原因と結果がありますが、複雑な問題も単純な始まり方をしていることが多いのだ、とアニは言います。たぶん彼には複雑に考える知能がないだけだと推測していますけど。

すべてのパラダイムは時代によって変わり続けていますから、毎日を「生きにくい」と感じている人も少なくないと思います。

あ、これはもう書きましたね。もらったメモを1枚なくしたみたいなので雰囲気優先で続けます。人間の価値というのは何かの競技で表彰台に乗ることだと思っていませんか。そうじゃない。勝手に「誰かの価値観」という、エントリーしたおぼえのない競技のスタートラインに立たされていると思ったら断固拒否していいのです。今までどこにも存在しなかった競技を自分のためだけに発明してもいい。とにかく人から強いられた競争に参加する義務なんて、まったくないのです。

そんなに他人と競争し、疲れ、何を手に入れられるんでしょう。お金が欲しい、地位や名誉が欲しい。タコの種類で言えば、クレクレタコラです。私はそういった下品な欲求が嫌いです。理由は、欲求が下品だからです。持たざる人は欲しがり、持っている人はもっと欲しがる。この下品さを肯定した、「物欲という宗教の信者」の増加が、この日本を生きにくい社会にしていると感じます。

どうせこんな妙な本にお金を払って、おつりやレシートを利き手でもらうような人は、「なんか役に立ちそうな本を読んでおけば、手軽に知識を得られるだろう」と考える浅はかな物欲信者でしょう。書店でビジネス書の棚を見て、一番売れていそうな本を買う人だと思います。さらにあなたが飽きっぽく、最後までちゃんと読まないことまで私にはわかっています。それでもいいんです。まず本を最初から最後まで順番に読まなくてはならないという戦前じみた先入観を捨ててください。特にこの本の場合はどこから読んでもいいし、起承転結もなく、真犯人も出てこないから、適当に読んでくれればいいとアニが言っていたそうです。

幸福な人生は、お金や地位では決まりません。お金をたくさん持っているから偉いのであれば、お金がなくなった瞬間に偉くない人になってしまいます。一番大事なのは、自分が何をしたいかに忠実になること。それを突き詰めていくと、考え方が子どものようになっていきます。大人になるというのは、「夢をあきらめることだ」と思われがちですが、実際はそうではありません。いかに子どものように純粋に、自分に言い訳をせず、やりたいことを実現できるか、にかかっています。そういうことをアニは言いたいんだろうな、とボンヤリ感じました。面識はないですけど。

最大限の無関係さを込めて　前書きだけ頼まれた人

ワタナベアニの前書き

こんにちは。ワタナベアニです。俺が来たからもう大丈夫です。

世界はあなたの目にどう見えていますか。テレビやネットを見ても、不幸な現実や悲観的な将来のニュースばかりが、これでもかと言わんばかりにあふれています。なぜでしょう。それは、「日常に哲学がないからだ」と俺は思っています。哲学とか言いだしたよ、こいつ。と感じる人もいるでしょう。哲学ほど誤解されているものはありませんからね。「経営哲学」「人生哲学」なんていう、本来の哲学とは無縁の、説教くさい言葉の方が市民権を得てしまっているからかもしれません。

本来、哲学（フィロソフィア）は、「知を愛する人」という意味で、現実的な成果を何も生まない不思議な学問です。だから親戚の鉄工所のおじさんが、「かたい仕事をしなくちゃダメだ。哲学科なんかに行っても食えないぞ」などと言うのはあながち間違っていないどころか、皮肉にも哲学の正確な定義を言い表してもいます。

自分が生きているのはなぜか。世界が存在している意味は何か。幸福とは何か。そういった大きな問題に対して答えを出そうとするのではなく、興味を持ち、ただ問い続けること。人間は全員哲学者として生まれてきます。そう、子どものことです。哲学とは徹底的に世界を学び、知ったあとで、『裸の王様』に出てくるあの子どものような、純粋で冷徹な視点をもう一度獲得することです。その目を持っている、知を愛する人だけが、世界を「美しい風景」として見ることができるのです。

エルメスとかフェラーリとか、自分が持っているモノを自慢したり他人と比較したがる心の貧しい人がいますね。心の貧しい人というのはちょっと言い方が悪いので言い直すと、うすらバカども、です。人間が生きていくために特別必要のないものをタマネギの皮を剝くように外側からどんどん剝いていくと、最後には、「自分は何のために生きるか」という原初的な疑問しか残らないはずです。それを直視しないで済むように日常生活を淡々と過ごし、逃避したいという姿勢が、哲学不在の原因と言えます。

防寒服にレースのフリルは必要ありません。自分が生きる目的の中心にあるはずの哲学が何も見つからない人は、タマネギの皮だけがどんどん厚くなっていきます。真ん中にあるはずの裸の自分というコアが見つからない焦燥感から逃れるためです。それを持っているだけでは自分を何も変化させないブランドもののように、お金さえ払えば誰にでも買える「フリルの価値」に頼って不安をごまかしているのです。

誰かと話すとき、その人が自分を説明するための言葉に、どれだけ他人（ブランド）の名前が出てくるかを観察してみてください。価値を高める装飾として権威のある他人の名前がたくさん出てきたら、それは本体よりもフリルが大きい本末転倒な人、マイケル・ジャクソンで言うところの、フリラーだと思って構いません。

哲学という言葉を「センス」と読み替えてもらっても問題ありません。自分が見ている世界を面白く受け取るのもつまらなく感じるのもセンス次第ですから。センスとは感覚のことで、感覚器はセンサーです。だから俺は世の中のどんなことでも面白く楽しく敏感に反応するセンサーを持っている人が好きで、尊敬しています。自分が生きている世界を美しいものとして肯定する。それが日々を豊かに生きることであり、哲学の出発点でもあります。

99%以上の人は、社会的に何も成し遂げなかったかのように見える一生を送るでしょう。最近の政治家は「生産性のない人々」などと恐ろしく差別的なことを言ったりするようですが、価値のない人生なんてどこにもありません。俺は大したことも成し遂げず、他人と比べて地位も名誉も頭髪も不足気味ですが、それでも楽しく暮らしていけるぜ、という見本になれたらうれしいと思っています。ハゲでデブのくせにあの人はなんだかムヤミに楽しく生きているな、と思われたい。そのために俺が「世界という風景」をどう見ているかが、この本で少しでも伝わればいいと思っています。

忍耐と努力と勤勉を断捨離しながら　ワタナベアニ

ワタナベアニの前書き　その2

俺が誰なのかという大事な説明を忘れていたので、前書きのパート2を書きます。当然まとめて書く方法もあったんですけど、予定調和でないトリッキーなことを考えるのがサービス業ですから、わかっていてやっています。

俺は広告プロダクションのアートディレクター、テレビコマーシャルの監督を経て、今はフリーランスの写真家をしています。ふらふらと違うことをしているように思うかもしれませんが、そのときに自分が面白いと思ったことをしているだけなので、ほっといてください。ある日突然、住職がサッカー選手になったとでもいうなら驚きつつビックリもしますけど、俺の場合はポジションがフォワードからゴールキーパーに変わった程度のことなので、たいして珍しくもありません。

アートディレクターやクリエイティブディレクターとしてクライアントに企画を提

案するときは、ビジュアルだけではなく言葉でも説明します。俺はそのための文章を必要に迫られて日々書いていましたが、文章の説得力次第で仕事が決まるかどうかが上下左右します。目的がシビアですからいい訓練になりました。もともと本を読んだり文章を書くのが好きだったこともあり、勢いが余って毎日くだらない文章をネットに書いていました。書いて載せると、読む人がいるものですね。「本を出しませんか」と、編集者から打診されました。

いつか自分の本を出版したい、と死ぬ気で頑張っている人たちには大変申し訳ないんですが、世の中というのは努力した量を評価してもらえるような場所ではないので仕方ありません。ただ、インターネットがあったから人の目にもふれたし、発見してもらえたのだという感謝の気持ちは忘れていません。

今の時代はインターネット抜きでは何も考えられません。ネットが我々にもたらしたことは、ふたつあります。ひとつは、誰でも世界中の膨大な知的情報にアクセスできること。次に、自分もその集合知に「今日の歴史」を書き加える人として参加できること。もうひとつが、マイクロメディアとして自分の情報を世界に発信できることです。みっつありましたね。

自分が理想だと思える世界とは何か。そのために自分は誰に何を発信していくのか。黙っていては何も伝わりません。インターネットという、個人の意見を拡声して世界に届けるメガホンを誰かが用意してくれたんですから有効に使えばいいと思います。「インターネット以前のメガホン」として一方向的に存在していたマス広告を仕事にしていたことは自分の考え方に大きく影響しています。テレビや新聞・雑誌などのマスメディアを使って情報を発信し、不特定多数に声が届く体験をし、自分が考えたアイデアが他人の消費行動を変える快感を知りました。若いうちは幼稚なのでそういう仕事にかかわることを、社会という大きな仕組みにダイナミックに参加できているのだと勘違いしていました。何より、絵を描いたり文章を書いたり、子どもの頃に好きで没頭していたことが高額な給料をもらえるビジネスになったのですから、毎日楽しくないはずがありません。

しかし30代を過ぎると、無駄な消費をさせるために莫大な制作予算を使い、好きでもない商品を客に売りつけて罪悪感を持たないような仕事のスタンスに疑問を持つようになってきました。これが自分の思い描いていた「大人の姿」なんだろうか、と。マスと言っても、影響力を持っているのは自分という個人ではなく、大企業や新聞社やテレビ局にあるという構造についても再確認しました。そこでフリーランスになってからは、思い切って自分が推薦する気持ちに嘘をつかなくていい、納得できるクライアントのちいさな仕事だけに絞ってみました。すると収入が激減して、まったく生活ができなくなりました。というシナリオも想像していましたが、実際は逆でした。

立派な企業理念を持っているクライアント、そういう志を持った人が作る上質な製品だけを選ぶようにしたことで、「いつもいい仕事をしていますね」と周囲から言われるようになり、待遇やギャランティがどんどん上がっていったのです。

俺が勤めていたのは日本で一番歴史のある広告プロダクションでしたから、大企業の見栄えのいい仕事しかしていませんでした。しかしなぜ自分の仕事に意味を感じられなくなっていったのか、どんな仕事でも何も考えずに引き受けていたのかというと、「仕事とは自分を殺して我慢することだ」という、幼稚な大人の教えを疑わずに受け入れていたからです。逆説的に言えば、いい会社に入ってしまったからなのです。会社に不満がなかった分だけ、気づくのが遅れました。自分がしたいことを考えず、与えられたことだけをこなして自分を騙してしまう。これが哲学の不在です。仕事の哲学ではなく、本来の意味でいう、哲学です。

自分がやりたいように生きていけばいいと言うと自分勝手に聞こえますけど、そうじゃないんです。体操の選手が狙ったところにピタッと着地しますよね。あれが難しかったら、自分が着地した場所にチョークで丸を描いてしまえばいいのです。最初からそこを狙っていたかのように。

「自分が生きたいように生きる」という教会の賛美歌など聞こえていないかのようにヘッドホンをつけて無視するのが大人になることだと思い込んでいましたが、どのジャンルでも本当に優秀な大人は子どもっぽく見えるものです。目先の損得にとらわれず、楽しそうに仕事の話をしている彼らの姿は、賛美歌を歌う子どもによく似ています。この本に書こうとしたのは、「大人の幼稚さを通過して、もう一度純粋な子どもの目を取り戻すこと」です。

子どもの頃、俺は毎日、閉店まで本屋さんにいるほどの「本の虫」で、高校生になると小遣いのすべてを本に使っていました。しかし自分が本棚に並ぶ側になるとは夢にも思っていませんでしたから、その責任の重さにメタボリック・ボディが若干引き締まる思いです。

本は見知らぬ誰かの一生を変えてしまうことがあります。だから書きました。

前書きがいささか長すぎたかなという反省を込めて　ワタナベアニ

人それぞれに解釈があるから
何が正しいかはわからない。
でも、もしかしたら
ゆらぐことのない
万人にとっての正解が
あるんじゃないか。
それを探す旅を「哲学」と呼ぼう。

1　哲学者とサラリーマン

あなたの友だちに哲学者はいますか。ほとんどの人に哲学者の友人はいないと思います。哲学者はサラリーマンより圧倒的に少ないですからね。でも名刺に「哲学者」と書かれていないだけで、サラリーマンの中にも哲学者はいます。「人間は考える葦である」とか「無知の知」などという古い哲学者の言葉は誰でも聞いたことがあると思います。それらは過去の偉大な哲学者の膨大な思考の断片を切り取った、いわばキャッチコピーのようなもの。ですからそれで何かがわかったような気になってもまったく無意味です。彼らから言わせれば雑な切り取りハラスメントでしょうが、一般的な人々の哲学に関する知識はその程度のものです。

哲学を職業としてマネタイズできているのは大学教授のようにほんのわずかな人だけです。彼らは学生に自動車教習所の教官のようなやり方で哲学の歴史を教えたり、大昔に死んでいる哲学者の研究書を書きますが、やや乱暴に言ってしまうと、それは哲学をすることとは関係がないとも言えます。哲学者と哲学研究者はまったく立場が違うからで、それは「化石と考古学者の関係だ」と言えばわかりやすいと思います。反対に、自覚はなくても哲学的な考えに突き動かされて日々行動する人は紛れもない哲学者ですから、サラリーマンの中にも哲学者はいる、と言ったのです。

哲学ほど日本において馴染みのない学問はありません。アレルギーの存在すら感じます。日本人は勤勉で謙虚で、「和の民」です。集団の協調を重んじて滅私奉公をします。居酒屋チェーンみたいですが、それは昔から善きことだと信じられ、実際に素晴らしい文化です。でもこれこそが、自分ひとりにしか見えていない世界を描くことが目的の「哲学」とは相容れない理由なのです。さきほどマネタイズとやや生々しく書いたのは、哲学以外の学問はみな商業活動や職業に直結して生まれたからです。機械工学を学んだ人はエンジニアになり、医学を学んだ人は医師になります。職業に至る道筋に何の疑問も生じませんが、さて、哲学はどうでしょう。経済的な成果を何も生み出しません。哲学者が「知を愛する人」としてある限り、そこには極めて個人的な、私は世界をこう愛するといった「愛し方の違い」しか生み出しません。浪費家や愛妻家のようなものですから、職業にはなり得ないのです。エレガントですね。

哲学者は生まれてから死ぬまで一瞬たりとも哲学をすることをやめません。成長、恋愛、友情、挫折、老い、病気、死。本で読んだ知識だけではなく、自分が初めて体験するタイミングでそれを理解し、みずからをモルモットとして直面するすべてを観察して研究の対象にします。自分の死を数秒前まで見つめ続け、「死とは何か」がようやくわかった瞬間、それを書き留めることが叶わない後悔とともに哲学者の心臓は止まるのです。心電図、ツ――ッ。

哲学は現在のトルコあたりで生まれ、ギリシャ・ローマで隆盛を極めます。今でも語られている哲学の諸問題のほとんどがこの時代に出尽くしました。あの変なワンショルダーみたいな服を着たソクラテス、プラトン、アリストテレスなど大昔の哲学者たちが議論していたことと現代人がしている議論は何ひとつ変わっておらず、俺より学年が2500くらい上のソクラテス先輩が語ったことは、今も我々に同じ問いを投げかけ続けています。パソコンやスマホは発明できたのに、なぜその程度の答えが出せないのでしょう。それは人間という生物の仕組みは、肉体も精神もギリシャ時代からまるで変わっていないからです。それが日々更新されていく科学とは違う、哲学の普遍の難解さと不変の素晴らしさなのです。

ここでジョークを一発。

アマゾンに「解剖学年鑑・2019」という本を注文した医師がいた。数日して届いたのは「解剖学年鑑・2017」だったので、彼はカスタマー・サービスに、「注文した本より2年古いモノが送られてきたんだが」とメールを送る。配送担当者からの返事には、「お客様、臓器の位置は2年くらいではたいして変わりませんよ」と書かれていた。

社会や時代が変わることで役に立たなくなるものは、消費されては消えていきます。日本人は戦前・戦後のドラマチックな変化を生き、復興、高度経済成長、バブル崩壊、ドーハの悲劇、吉本の新喜劇などを経験して、現在は長い経済的な停滞期にいます。戦前やバブル期に書かれたビジネス書はこれから永遠に役に立ち続けるでしょうか。政治や経済の仕組みは変化していくのでまったく役に立ちません。

俺は新しいことが素晴らしいという時代の革新性にまるで興味がありません。スマホもデジカメも使いますが、あるから便利に使っているだけで、なくても特に困らない。ギリシャ・ローマの人たちが考えていたことすら理解できないのに、iPhoneを持ったくらいで人間がアンドロイドみたいに進化したとは到底思えないのです。

「利口とはバカが退化したものだということを忘れてはならない」と、ロバート・ツルッパゲは言っていますが、試しにこれを誰かに言ってみてください。「それ、逆じゃね」と言われると思います。そういうスタンダードでプアーな人とそれ以上話してもたぶん何も面白いことは言ってくれないと思います。別な言い方をした方がいいでしょうか。「大人とは、子どもが退化したものである」と言えば、少しはわかってくれそうですね。

言葉を正確に使うことが、哲学への第一歩です。「言葉の限界が、思考の限界」などとも言われます。

大人は成長するにしたがって言葉をたくさんおぼえていきます。それが子どもとの差です。その反面、多くの言葉をおぼえたことで思考が止まってしまうことがあります。子どもは「権力」という単語を知らないからこそ、王様は裸だ、と言うことができました。言葉を知らないことは、概念を知らないことと直結しています。

2 殺人と不倫

言葉は考えを定義し分類します。人を殺してはいけない、のように全人類に共通する善悪の規範は「倫理」と呼ばれますが、似た言葉で混同してはいけないのが「ルール」です。時と場所、文化によって変化する規則のことをルールと呼びます。世界にはご存じの通り一夫多妻の文化を持つ地域がいくつもあり、今では考えられませんが日本にも不貞を禁じる姦通罪というものが存在した時代がありました。時間が経つとルールには大きな変化が生まれるので、浮気などを「不倫」と呼ぶのは間違いです。変わるものは倫理ではありませんから、本当の不倫と呼べるのは「殺人」のような行為だけなのです。

哲学は、あらゆる普遍的な存在を「言語」であらわそうとします。ですから時代や環境で変化するルールについては言及しません。旦那の浮気なんてささいなことは家庭内の法廷にゆだね、ロイヤル・コペンハーゲン以外のお皿を選んで投げつける、顔をひっかく、浮気相手に無言電話をするなどして爽やかに処理すればいいのです。人間はそもそも本能のみで生きる野生動物だったのですから、目の前に美しい初対面の相手が現れれば飛びつくのが当然です。しかしいつからか、「そういうことをしてはいけないのだ」という、倫理やルールを含んだ「知性」が生まれました。では知性はどうやって始まったのでしょうか。

「知性とは、我慢である」

野生動物は空腹を感じると獲物を捕まえて食べ、寝たいときに眠り、ウンコをしたいときに、こんもりとウンコします。いやいやいや、それは万物の霊長である人間としていかがなものか。時と場所を考えずに食べたり寝たり、大の方のウンコをしたりするのはセンス悪くねえか、と言い始めたエレガント村出身のヤツがどこかにいたはずなのです。ファッションの世界でも、「おしゃれは我慢」などと言われますが、自分がしたいことを社会的な視点から見て我慢しようと言った。つまり原始的な欲望をコントロールしようとした野生動物初の試みが、人間の知性の始まりなのです。

野生動物を卒業したエレガントな人類が、していいこと、してはいけないことを規定した善悪の指針が倫理で、ルールは刑法や民法のように時代や場所によって変化するものです。ですから限定的な環境下でしか機能しません。倫理を「憲法」とすれば、ルールはその下位概念である「法律」のようなものなんですね。

子どもは多くの言葉を知らないから持っている概念が少ないと先ほど言いましたが、正確な言葉を概念とともに手に入れることはとても重要です。言葉の定義を正確にしておかないと、思考の及ぶ領域が決められません。

たとえば「ミスチル」と聞いて、何かおかしいと感じる人はいますか。別におかしいとは思わない、急にミスチルを持ち出すお前の方がおかしい、という人がほとんどでしょう。皆がミスチルと呼んでいますからね。では短縮形の「ミス」って何を表していますか。ミスター・チルドレンの「ミスター」の部分ですよね。男性につける敬称であるミスターが、未婚女性につけるミスと同じ二文字になってもいいんでしょうか。言葉を省略したことで、本来は反対の意味なのに一緒になってしまいました。「ミスド」も、ドーナッツの性別があやふやになった例です。

また、気持ちがいい、気持ちが悪い。このふたつの文章を、ただ「気持ちが、」とだけ誰かに言ったら、あなたが表現したいことが伝わると思いますか。無理ですよね。でもみんな使っています。そう、「キモい」です。キモいという言葉は、一番重要なプラスマイナスの評価部分を省略してしまっている。なぜこんなばかげたことが起きるんでしょう。それは言葉の定義がおろそかになることに何も疑問を感じていないからです。

関東と関西とはどういう意味ですか。関所を基準に東と西の地域に分けたんですよね。そのどちらか一方を指し示したいのに、なぜ「関ジャニ∞」なんでしょうか。関所のことしか言っていないんですから箱根出身者ばかりのグループなら納得がいきますけど、どうやらそうじゃないみたいです。謎は無限大です。

言葉に関心がない人のことを、タイでは「ムトンチャク」と呼びます。議論がエキサイトしてくると、「まず、言葉の定義から説明しろよ」と苛立った発言が必ず出てくるものですが、用語の定義がしっかりしていなければお互いの主張がすれ違ってしまうのは当然です。そこでムトンチャッキーは、「かたいことを言うなよ。そんな細かいことはどうでもいいだろう」と言って議論を終わらせようとします。違うのです。言葉というのはそもそも「硬い」のです。その硬度ゆえに言葉は武器となって人を傷つけることがあることも忘れてはなりません。

何が定義であり、何が正解か。それをあまりよく考えずに、「多数決の正解」で、多くのことをごまかしていないでしょうか。みんなが言うから。昔からそうだから。それが普通だから。多数派の陣営に無自覚に荷担するのは、何も考えていないことと同じです。大勢の大きな声に紛れてしまうと生きていくのはラクなんですが、自分が必要とされる価値は限りなく透明に近いゼロになります。哲学というのは、今までに誰も言わなかった世界の側面を発見して提示するのが目的ですから、多数決とはまったく逆の作業です。

「大きな声で話す人の言葉に感動した記憶はない。スーパーの蛍光色ポップ文字で『知性』と書かないように」と、ロバートが言うように、正しいこと、新しいこと、今まで誰も知らなかったことは、狭い部屋の中で少人数がちいさな声で語ります。声がちいさく人数が少ないから存在しない、間違っている、のではありません。大声で叫びたがる人は、もう価値が決まっている当たり障りのない、「誰もが知っている過去」をただ復唱しているだけなのです。

3 竹刀とラケット

倫理が「してはいけないこと」を規定するならば、哲学は、「すべきこと、存在することと」の輪郭を決めることだと言ってもいいでしょう。普遍的な最初の一点を探すことは、簡単なようでいて、とても難しいものです。髪の毛を染めてはいけない、遅刻してはいけない、という校則（ルール）は誰でも思いつきますし、守ることも容易にできますが、「学生がすべきことや存在することの意味は」と聞かれたら、答えるのは急に難しくなりますよね。

このようにルールに従って生きていると、毎日の労力が圧倒的に減るのです。定時に会社に行く、学校指定のソックスをはく、などのクソどうでもいいルールさえ守っていれば、怒られることはない、と羊が柵を越えないように毎日学ばされているのです。これは何のためでしょうか。牧場を合理的に管理しようとする側の論理です。あなたは自分が牧場にいるのか、自然の中にいる野生動物なのかを考えたことはあるでしょうか。考えていないとすれば、なぜ毎日餌を食べて、こんもりとウンコして生きているんでしょう。

たとえば誰かがテニスのラケットを買うとします。その人が、「テニスという競技を観たこともないし、存在すら知らない」ということがあり得るでしょうか。絶対にないですよね。ウィンブルドンの試合を見て感動したので私もやりたいと思った。親戚のお兄ちゃんがやってる剣道って格好いいなと思って竹刀を買った。これならわかります。

ではなぜ、人が生きる指針であるべき「哲学」の存在をまったく知らずに、競技の一部としての勉強や、就職や、結婚ができてしまうのでしょう。テニスも剣道もしないのにラケットと竹刀を両手に持って商店街に立っているおじさんを見たらあなたはどう思いますか。奇妙かつストレンジだと感じるはずでしょう。まあ商店街の真ん中で仁王立ちしているおじさんって、持っているものにかかわらずだいたいおかしいものですけど。

「いつ試合があるんですか」と聞かれても、その人は何も答えられません。他人よりいい道具を持っていることが目的で、テニスや剣道をすることを考えたことはないんですから。よく「手段が目的になってるぞ」なんて、係長クラスが新橋あたりで安っぽい説教をしていますけど、まさにそれです。受験勉強も一流企業への就職も、なぜそれが必要なのかの、クリアで気持ちのいい答えは誰も教えてはくれません。組織に従順な、文句を言わない羊としての人材を量産するためには哲学のように根源的な問題に立ち止まられると不都合なので、その矛盾をできるだけ悟られないようにしているのです。それが戦後日本の教育です。

そして日本にもうひとつ、ないものがあります。それが「宗教」です。宗教は哲学の親戚で、「生きるとは何か、死ぬとは何か」を探求することが目的ですが、人々は初詣やクリスマスで神社や教会を意識する以外、それらを生々しく考えないようにしています。理由はさっきと同じなので、もうわかりますよね。

「宗教観を持たずに生きていけることの方が、カルトよりも気持ち悪い」と、ロバートは言います。哲学的にも宗教的にも理由を答えられないのに、試合にも出ず、競技の存在も知らず、ただ他人に自慢できそうな高価なラケットや竹刀を買うために必死で働いている。クリスマスにはエルメスをプレゼントしてくれないとイヤ、なんて彼女に言われて、自分はカップラーメンを食べながら残業して買ってあげている。それが、「目的を見失ってさまようフリラーたちの姿」なのかもしれません。ゾンビっぽいよね。

4　ラノベとワイドショー

「日本全体のラノベ感」と、ロバートは言います。

　作る能力を持った人は、限界まで突き詰めていいモノを作ろうとします。それが善なる性だからです。一方、金なる性に動かされる人は、「この程度で仕上げた方が安く済むだろう。どうせ誰もわかんねえんだから」と言います。この頃「オーバー・クオリティ」という言葉をよく聞くようになりました。この予算ならこの程度でいいんだから、利益のためにそれ以上のコストと時間を掛けてくれるなよ、という意味です。

　たとえば漆塗りという伝統ある職人技がありますね。何十回も塗っては乾かし、塗っては乾かし、そして素晴らしい芸術品が出来上がります。陶器を「china」と言うように、漆器は「japan」と呼ばれますから、これはまさに日本の誇りです。でもその回数を半分にしたって素人にはわかんねえよ、と言って手を抜くことがあるとしたら。たぶんそう言い出すのは職人ではなく、インスタントコーヒーを飲んでいる「違いのわからないホールディング経営者」でしょう。自分がわからないからみんなもわからない、と思っているタイプの浅はかな経営者を、ときどき地下鉄銀座線の中で見かけることがあります。浅はか見つけ、と言えましょう。

人間が持つ能力の限界や驚異みたいなものを具現化したのが職人の技で、本来は合理性における治外法権のはずなんですけど、世の中が不景気になると家具は桐の箪笥じゃなくてＩＫＥＡでいいよってことになる。ＩＫＥＡには存在価値があるから否定はしないですが、優秀な桐箪笥の職人がＩＫＥＡみたいな効率優先の家具を作れ、と命令されたらこれは侮辱に感じるのではないかと思います。そして、もしかしたら自発的にやる人がいるかもしれません。「俺が学んだ桐箪笥の技術はこの時代には合わないから、ＩＫＥＡっぽく作れば、たくさん売れるし儲かる」と考える。誰も難しい小説なんか読まないから、ラノベ程度でいいんだよ、というたぐいの発想です。

素人に職人の技術は理解できないですから、「伝統工芸の常識を破壊して新しいことをしたスゴい人だ」「業界の老害を排除した」などと話題になることもあるでしょう。しかしそれを無知ゆえに持ち上げる幼稚さが嫌いなんです。小説よりラノベ、グルメよりもB級グルメ、それはただのエクスキューズつきの退行ですから。マジメにがんばってレベル48しか作れない人と「100のものは作れるけど、大衆は48程度を求めてるでしょ」とナメている小太りな人とはまったく違うってことです。誰が子どものときの作文に、「僕はシェフになって、B級と呼ばれる料理を作りたい」という夢を書くでしょうか。

それとは別の話ですが、規模が大きくなると想像力が働かなくなって評価や批評が幼稚になるものです。目的が大きくなったように見せられると手に負えなくなって黙ってしまう。抑圧された苛立ちはちいさなモノへと向かいます。ネットでの炎上と呼ばれる集団リンチは「赦さない社会」というキーワードで語られますけど、その出来事はワイドショーのゴシップのようにちいさければちいさいほどいいようです。つまり、社会全体がワイドショーを見ている暇なおばさんのようになっているのです。決しておばさん全員がそういう人々であるとは言っていません。忙しいおばさんも、暇なおばさんも、極端にセクシーな俺好みのおばさんもいます。

たとえば、酒は飲まないしギャンブルも覚醒剤も嗜まない俺ですけど、近頃は喫煙所でたばこを吸っていると通行人にイヤな目で見られることがあります。「あの人、この時代にタバコ吸ってるわ、あー臭い臭い」みたいなしかめっ面で前を通り過ぎながら、顔の前で手をパタパタあおいでみせる。八歩譲って、たばこは悪いモノとしますよ。でも禁煙の場所ではもちろん吸わないし、喫煙席でも隣の席の人が食事をしている間や子どもがいるところでは吸わないなど、気をつかっているつもりです。それなのに、「他人がしていることを無遠慮なしかめっ面で糾弾するパタパタ」は、エレガントな振る舞いなのかということです。

これは嫌煙権の話ではありません。放射能が漏れているニュースには無関心なのに、「ここでたばこを吸ったらいけないと書いてあるじゃないですか」などと、目の前の人に怒鳴る人の話です。クルマは排気ガスを出して走り、工場の煙突からはコンスタントに有害な煙が出ている。そこには想像力が働かないし、巨大な企業の利潤追求は否定しないから何も言わないのです。

俺も負けずに細かいことで対抗するなら、お酒を飲んでいる人の傍若無人さに辟易することがあります。「酒を飲まない人は人生を半分損している」と同じように、「酒を飲む人は飲まない人の倍、他人に迷惑をかけている」と言えましょう。我々飲まない派は、公共の場で麺がちのローゲーをまき散らしたり、知らない人にグチグチと絡んだり、人を殴ったり、グラスを割ったり、勢いを借りてセクハラしたり、セックスしたりしません。極端なことを言ってしまうと、それが原因で人を殺したりもしない。タバコを吸ったので人を刺した、タバコを吸った勢いでセックスしたなんて聞いたことがないです。つまり飲酒だって覚醒剤と同じで、人を「責任能力のない人」に変えてしまうわけです。

でも俺は隣に座った知らない人に「お酒を飲むのは迷惑だからやめて欲しい」としかめっ面で言ったことは一度もありません。その人がしでかす不作法は自己責任で、飲酒前の、「飲むか飲まないかの決定」には決して責任能力がないとは言えないのです。そう言うと、「受動喫煙があるじゃん」と言うでしょうけど、排気ガスを出して走っているクルマを追いかけたり、壊れた原発に対して同じことを言っているかというと、言っていない。想像力と事態に対する影響力が足りないからです。他人を赦さない社会では、必ず自分のところへもリンチが返ってくるので気をつけましょうね。

では皆さんが考える、目に見えている一番大きなゴミって、何だと思いますか。ロバートはそれを、「アスファルト舗装だ」と言います。元々、土だったところを車が通りやすい、歩きやすいという利便性のためにアスファルトで舗装しました。つまり、都会ではアスファルトという巨大な連続したゴミで地表一面が覆われている、というわけです。ですから、たとえそこに誰かがゴミを捨てたとしても、それはゴミの上にゴミを捨てただけのことで、ゴミがひとつも落ちていなくて綺麗な街だね、と言っている自分ははたして何を見ているのかを考えなくてはいけません。反対に言うと、ぬかるんだ道でルブタンの靴が泥だらけになることを「汚れた」と言うべきなのかという哲学領域にまで辿り着きます。ロバートが言っていることは、目の前のモノが巨大になるほど想像力が働かなくなるという思考の提示ですから、道にゴミを投げ捨てていいとは言いません。しかし頭上に蓋をされちゃったセミなんかはマジで困っていると思います。すべては人間様の都合ですから、シカダないだろう、とは言わせません。

みんな自分が信じる宗教の教義に沿って生きているので、ダジャレが多いなどと他人の行動ばかりを批判的にあげつらいます。人の神を否定してはいけません。自分とは信じる教義が違うパラレルワールドの住人なのですから。

5　パラレルとワールド

「宇宙戦艦ムサシ」「機動戦士ランダム」「ＡＫＢ51」を知っていますか。

パラレルワールド（並行世界）という概念は誰でも知っていると思います。自分がいるこの場所とは少しずつ様相が違う世界がいくつも並行して存在する可能性があるという考えですが、そちらでは宇宙戦艦がムサシかもしれず、機動戦士は割とランダムな感じなのかもしれません。つまり我々が「ガンダムに決まってんじゃん」「48だろ、ド素人が」という常識は、世界を横断してみるとまったく正しくないことになります。

「多数決の正解」を信じることは、パズルのピースをすでに知られた共通認識の枠にはめる行為です。理由はわからないけど昔からそう決まっているのだ、そうしないあなたは間違っている、みんなもそう思うよね、思うよね、と無自覚なまま他人を差別したり、糾弾することにも繋がります。極端なことを言うと、人間全体が信用できる単一の世界など存在していなくて、それぞれひとりずつのパラレルワールドがあるというアクロバティックな考え方もできるほど、自分が知っている世界が唯一の本物かどうかなんて誰にもわかりません。決めつけられる側が「別のワールド」、いわゆるオンワードやイトキンという世界に住んでいるのかもしれないという、他者の世界を認める優しい理解と想像力が必要なのです。

もしも松本零士先生が、「えーと、宇宙戦艦の名前を決めなくちゃいけないのか。今日中だよね。うーん、困ったな。何にしようかな。あ、ムサシでいいか、ムサシで。じゃあ鉄道の方は888でよろしく」と言っていたら、ヤマトも999も間違いになっていたというだけです。そもそもフィクションで作られたモノの正解なんて原作者の頭の中以外どこにもないわけで、オタクが気持ち悪いのは、フィクションの世界を物理学の法則でも説明するかのようにつばを飛ばして甲高い裏声で話すところだ、と、俺じゃなくてロバートが言っていました。

それはいいとして、じゃあ科学は間違えたことはないんでしょうか。パラレルワールドや天動説なんて大げさな例を持ち出さなくても、身近な例では、俺たちが子どもの頃に習った「太陽系惑星の並び方と数」は今と違いましたよね。2006年に新たな惑星の定義を適用したことによる変更だそうですが、そこに過去のテストでバツをもらった生徒に対するメンタル・ケアはないのかよテメー、と思います。あのときはすまなかった、くらいは言ってもいいんじゃないかと思います。「冥王星って、なんとなくノリが惑星っぽくないんだよね」と考えていた、天文学的にクレバーな少年だって少なからず存在したに違いありません。

ちなみに冥王星は1930年に発見されたそうなので、それ以前の子どもたちも宇宙の事実に反することを学んでいたことになる。とにかく科学ですらこれくらいテキトーなんです。それなのに、「ヤマトの乗組員は114名だぜ、そんなことも知らないのかよ」と、チェックのネルシャツを着てくだらないことを言う人たちがいます。存在しないモノの輪郭をいくら描いたって中身は空っぽですから、「他人の世界はどうあろうとも、自分が好きなパラレルワールドをシックに生きろ」というのが、哲学的に正しい、お洒落な態度なのかもしれません。

自分を尊重して欲しかったら、まずは他人の考えを尊重することです。偽善者みたいなことを言ってますけど、実際に方法はそれしかありません。こちらにピストルを向け、「ラブアンドピース」と言いながら笑顔で近づいて来る人を信用できるはずがない。まずはその銃をしまえ、というのは当然です。
欧米の食事のマナーでは両手はテーブルの上、つねに相手から見える場所に置いておかなければいけません。私はテーブルの下に武器を隠し持っていません、という意思表示だとする説もあります。常に異文化の人々と敵対してきた闘争の歴史がこういったところにもよくあらわれています。

関係ないですけど、よく右手のフォークで食べながら左手を椅子についてナナメになりながら食事をしている人を見かけます。あれをやりがちな人はモテないですから気をつけた方がいいですよ。特に女性にお伝えしておきます。がさつな女性が好きだと表明する男性は多いんですが、決してそれを真に受けてはいけません。パーティで下ネタにつきあってくれる女子はその場を楽しくするので周囲の男性たちはチヤホヤして重宝しますけど、それは人として必要とされているのではありません。男性が自分の両親に紹介するのはそのパーティで、「一切下ネタに参加しなかった女性である」ことを知るべきです。時折まったく無関係にはさまってくるモテ情報にご注意ください。

壊れて止まった時計は一日に2回だけ正確な時間と一致するが、狂った時計は一度も合うことがない、というよく知られた言葉があります。これは、自分が正しいと思ったことをし続けていれば、そのときはズレているかもしれないけど、いつか他人の方が自分の世界に近づく日が来る。だから自分を貫いた方がいいですよ、いつも誰かを後ろから追いかけるのはいけませんよ、ってことです。世界は現実でありフィクションでもあります。俺の世界という映画に登場するのは、俺が好きな役者だけで構わないと思っています。人生は上映時間が80年くらいの一本の映画です。世界の人口と同じ数だけあるほかの映画館では、別の映画が上映されている。その人と俺がかかわったことがあれば、どちらのスクリーンにも同じ日の場面でお互いが映っていることになります。自分の映画にはたくさんの好きな俳優を登場させたい。自分も他人の映画に、できればエキストラじゃなく、愛される役で登場したい。全員が違うパラレルワールドに生きているというのはロマンティックに言えば、そういうことです。

俺の世界には冥王星もガンダムも48も関係ねえ。ジブリもねえ。エヴァもねえ。かと言って吉幾三でもねえ、が結論です。

National

6　ウィトゲンシュタインと少年ジャンプ

俺が一番好きな哲学者は、ルードヴィヒ・ウィトゲンシュタインです。面識はありませんけど。

彼はウィーンの大富豪の家に生まれました。父親のカールは鉄鋼王と呼ばれ、クリムトなど多数の芸術家のパトロンをしていたほどで、何不自由ない生活と文化的環境が保証されていました。そんな家庭に育ちながら、哲学の道に足を踏み入れた彼は、結果的に全財産を放棄してしまいます。俺がなぜウィトゲンシュタインが好きなのかと言えば、元々たくさん持っている人だったからかもしれませんが、モノやお金にとらわれない上品なところです。空腹な人はとにかく何でもいいから腹一杯食べたいと言いますが、満腹な人は上質なモノを必要なだけ選ぶものです。ウィトゲンシュタインの説明をしながら園児レベルのことを言っていますけど、大丈夫ですかね、俺。

彼はとにかく頭がよく、機械・航空工学などを学んでエンジニアになろうとしていましたが、あるときバートランド・ラッセルというケンブリッジのジジイに会いに行くんです。そして自分が書いた論文を見せ、「俺はエンジニアになるべきか、それとも哲学者になるべきか」と聞きました。もうこの時点でかなりヤバいでしょ。完全に自信満々のナルシストです。ラッセルのジジイは彼の哲学的な才能を一目で見抜き、君はエンジニアになどなってはいけない、と言って哲学の世界に招く。渋いね、この物語の始まり方。『少年ジャンプ』の編集者なら連載のゴーサインを出してくれそうです。

ウィトゲンシュタインはとにかく変わり者でした。常識や社会性や協調性がない。それは自分が思い描く理想の哲学世界に忠実だったからこそなんですが、第一次大戦中に書いた『論理哲学論考』というエレガント極まりない短い原稿を仕上げたところで、哲学のすべての問題を解決できたと言って、飽きちゃうんです。ゴリゴリの天才ムードです。出版には周囲で尽力した人々のかなりの苦労があったようですが、本人はもう出版以前に飽きていたそうです。のちに師匠であるラッセルは出版社から『論理哲学論考』の序文を頼まれるんですが、困りました。なぜ困ったかというと、驚くべきことにラッセルは教え子であるウィトゲンシュタインの考えていることが、もう理解できなくなっていたのです。これってすごいことですよね。他の分野ではまず起こりえないことです。起こりえないことについては沈黙しなくてはいけません。

ウィトゲンシュタインはしばらく哲学の世界から遠のき、わざわざ赴任先に田舎の学校を選び、教師になって小学生をぶん殴って親に訴えられたりしていました。哲学は人を育てるものですから、教育にも興味があったのでしょう。世界の哲学史に名を残した彼ではありますが、そこで子ども用の辞書を作ったりもしています。ある日、突然ケンブリッジの哲学シーンに舞い戻って来たかと思うと、「俺が前に書いたヤツあるじゃん、あれナシで」と言って、自分が書いた『論理哲学論考』の内容を全部否定してしまうのです。死後『哲学探究』として出版されることになるその考えは確かに以前とはまったく違っていたので、研究者は、ウィトゲンシュタイン前期・後期なんて分類をしています。

誰とでも大至急もめ事を起こす粗暴な行動とは裏腹に、繊細で心が弱く、兄弟にも自殺者が多い家系でしたから姉がとても心配します。姉のマルガレーテは自分を追い詰めるような哲学をしばらく忘れさせた方がいいのではという意図で、自分が住む家を建築家のパウル・エンゲルマンとともに彼に設計させます。ウィトゲンシュタインはエンゲルマンの師匠である建築家、アドルフ・ロースのパトロンでもあり、以前から建築に造詣が深かったようです。一切の装飾を拒否したその家は、ドアノブなどの細部に至るまでウィトゲンシュタインの哲学的美意識が詰まっていました。

俺はどうしても、その「クントマンガッセの白い家」が見たくてウィーンに行きました。家の前に立った瞬間、心が揺さぶられるのを感じました。誰にも理解されなかった繊細な心を、真四角な白い家の設計に没頭することで誤魔化していた。ウィトゲンシュタインの哲学と精神がそのまま家の形をしてウィーンの街に建っていました。ひとりのストイックな人間の苦悩を見た思いに、涙が出ました。

ウィトゲンシュタインが哲学界にもたらした学問的な衝撃は計り知れぬほど大きかったと言いますが、俺のようなうすらバカに難しいことはわからないので、ただただ童話の主人公のような彼の破天荒さが好きです。彼は、自分が気づいていなかったことは、本を読んでも理解できないのだよ、と言いました。「あれ、本って知らなかったことを知るために読むんじゃないの」と思う人もいるかもしれませんが、違います。うっすら感じてわかってはいたけれど、自分の中で言語化できていなかったことだけが、本を読んだことで理解できるのです。俺もバカ特有のＩＱの低さではありますが、まったく同じことを思っていました。だからウィトゲンシュタインが言うことに共感できたのです。

ヤシガニが歩いている姿を見たことはあるけど、「ヤシガニ」という名前を教えてもらったので初めてそれがヤシガニだとわかる、ことに似ているでしょうか。ヤシガニという動物がいるんだよ、と教えてもらってもシベリアの人には何のことかわからないでしょう。難しいことを簡単に説明しようとしている姿勢がバカに話しているように聞こえてしまったら恐縮です。言うほど恐縮もしてないですけど。

もうひとり好きな哲学者であるジャン＝ポール・サルトルにも言えることですが、有能な哲学者の文章は、たとえその意味が正確に理解できなくても美しく感じられるものです。サルトルは小説や戯曲なども書いていてとても面白いのでぜひ読んでみてください。特に「壁」は、寓話的な短編です。これを初めて読んだ高校生の頃は、星新一や筒井康隆作品ばかり読んでいたので、「このサルトルっていうフランス人もけっこう伸びそうだな」と偉そうに思っていました。その頃にはもう伸びきっていましたけど。

サルトルはボーヴォワールと契約結婚という当時は斬新だった形式の結婚をします。互いの知性のみを認め合い、双方ともに自由な恋愛を保証するという哲学的なスタイルの結婚をしたわけです。「アンガージュマン」という実存主義の言葉がありますが、それは思想を思想だけにとどめずに行動と結びつける社会参加の態度、という意味です。特殊な結婚の形態もアンガージュマンのひとつだったのかもしれません。

彼らの墓はパリのモンパルナス墓地にあります。縁もゆかりもないですけど、パリに行くたびにお墓参りをします。自分の祖父母や父親の墓参りにはあまり行かないくせに、と家族から怒られそうですが、哲学的にはうちのオヤジよりサルトルの方がやや格上なので仕方ありません。

俺はウィトゲンシュタインとは面識がないと言いましたが、彼は1951年に亡くなっているので、1964年生まれの俺にはほぼ不可能でした。パリの知人で若い頃にサルトルの講義を受けたことがあるという人がいてとても羨ましく感じましたが、同時代に生きているというのはそれだけでとても価値があるのです。ですから、同時代に生きている面白そうな人にはできるだけ会ってみたいと思っています。

7 名詞とパラダイム

俺は小学生の頃に両親が離婚したので、生物学上の父親の姓、母親の旧姓、後任の父親の姓という3パターンの苗字を哲学的に名乗り切った経験があります。ですから子どもの頃から不変の環境なんていうのは何も信用していませんでした。名前にしてもそうです。だって俺は何も変化していないのにネーミングだけがリニューアルするんですよ。中にジューシーな豚肉が詰まっているのに、今日から「あんまん君」と呼ばれてしまうような過激なパラダイム・シフトを体験したので、規則だの名称だのを「確固とした不変のモノである」とは思えませんでした。それらを無条件に信じているというより、そこに問題があるとさえ気づいていない同級生がひどく幼稚に見えました。「変化という断絶の経験を持たない者は、持続していることの希少価値に気づかない」と、ロバートが言いそうなことを思ったのは、小学校高学年の頃です。今、目の前に現れたら確実に殴りたくなるジャンルの、早熟な子どもでした。

流行や現象などは、名前をつけられたときから始まります。「個の時代」とか言って、朝から晩までくだらないネーミングをしている総研や広告代理店社員がいます。彼らが苦手なのは、「俺がこの時代の空気を鮮烈に切り取ってやったぜ。いやっほう」という、名付け親の手柄を欲しがる卑しさがあるからです。「一億総・大宅壮一」とも言えましょう。もしそんな下心はありませんよ、という純粋な人であるならば、私が名づけたと声高に言わなければいいのです。

俺は戸籍上の名前を変えたほど自由なので、職業や名前なんていうのはいくつあろうと矛盾があろうと何も気にしません。ミュージック・パブ「天ぷらのナポリ」なんて店があってもいいのです。

ある女優と食事をしていたときのことです。俺は彼女のことを芸名で呼び、彼女も俺をアニと呼ぶのにふと気づいて、「10年近い知り合いなのに、お互いに本名を知らないのは不思議だね」と話して笑いました。それでいいんです。名前なんてコインロッカーの番号と同じ、記号でしかないんですから。ただ、ダサくて悔やまれるのは、我々ふたりがそこで食事しかしていなかったという点です。たとえば男女の関係になろうとした瞬間に、シルクのシーツがかかったベッドの上でその台詞を言っていればもっとエレガントだっただろうし、ブコウスキー風だったんですが、残念ながら現在に至ってもブコウスキーの兆候はカケラほどもないことを、念のためここに書き記しておきます。

俺はずっとビジュアルに関わる仕事をしてきましたが、映像に言葉はいらないと言い張る、脳味噌ヤシガニクラスのヤシガニをたくさん見てきました。「あんたは文章が書けるからいいけど」と言われたことさえあります。いや待て。文章を書く能力って、背が高いように生まれつきのものじゃないですよね。俺は言いたいことが他人に伝わるように書こうと思ったので文章を書く訓練をしました。できるだけ自分の目で見た状態に近く撮れるような表現をと思って撮影の技術を徹底的に勉強したように。それなのに自分が努力しないからできないことを、「きみは背が高くていいなあ」のように言う。そういうことを不用意に言うヤシガニは、三親等まで全員のハサミがもげてしまえばいいのに、と思います。

ビジュアルを創造する立場なのに、「人は言語を抜きに世界を眺めることができない」という初歩的な事実すら知らない人が、何食わぬ顔で存在していることに驚きます。「言葉にできないから絵を描くんだ」「言葉にならないからギターを弾くんだ」というのは、格好よく正しそうにも聞こえますけど、自分がやっていることの精密な言語化とその訓練をサボっているにすぎません。小田和正さんクラスになると、わかっていて歌っているのです。ビジュアルが言葉にできないのはある意味では正解です。絵や写真に安っぽいクソポエムみたいなモノがくっついているのを見ると、俺だって全身にサブイボと鳥肌がダブルで立ちます。その種の、絵を説明したり補助する言葉は不要なんですけど、「なぜあなたはそうしたのか」という制作に関わる論理的な思考について聞かれたら言語による完璧な説明ができなくてはいけないと思っています。何だか知らないけど、やってたらこうなったんすよね、という、アジア雑貨の店長が店頭のディスプレイを作ったときみたいな態度は、無責任と言えます。

たとえば海に行って写真を撮るとします。砂浜に立ち、水平線にカメラを向け、シャッターを切る。そのたった数秒の間に、気づかないだけで言葉は数十も数百も脳の中をものすごい速度で駆け巡っています。なぜ言葉が飛び交うのか。それは「名詞の集まりで認識されたモノが世界だから」です。

コニー・アイランド、カモメ、ホットドッグ売り、黄色いフラッグ、夏の終わり、サンオイルの香り、風、裸足の女性、伝えられなかった言葉。

そういった文字の羅列から脳を完全に切り離して無心に世界を見ることは不可能です。海の写真を1枚撮るだけでもそれだけの言葉が通り過ぎたあとでシャッターを切っているのです。ビジュアル（世界）を構成している部品である、ひとつひとつのレゴブロックのような細胞や原子の段階にまで遡って言葉を理解し、さらにシャッターを切る瞬間にはその言葉をすべて忘れる必要があります。たった今も、俺が七里ヶ浜やワイキキではなく「コニー・アイランド」という地名を使ったことで、読んでいるあなたの頭にはさびれたニューヨークの夏の終わりが見えたはずです。ニューヨークに行ったことがないから浮かばないという人はこの際ほっときます。ちなみに、言葉を羅列した最後に、「伝えられなかった言葉」と言っておくと、妙にカッコよく聞こえてモテる場合があるので、試してみてください。

子どもは時計のことを詳しく知りたいと思ったとき、分解し始めますよね。これはエンジニアリングへの興味ではなく、もしかすると哲学的な行動なのかもしれません。時間とはどんな概念なのか、時計を動かしているのは何か、と探求していくと、それを構成しているすべての細胞である部品を知りたくなるものです。短針、長針、たくさんの歯車、だいたい元に戻せなくなって親に叱られるのですが、すべての部品を統合して支配するのが時間である、と哲学や宇宙物理学のヒントに触れるような敏感な子もいるでしょう。

名前のないモノは存在できないので、世界はすべて言葉でできています。我々はリンゴを説明するときリンゴという言葉を使わずにそれをすることができません。その場合、たとえ名前が間違っていてもいいのです。誰もがリンゴだと理解しうるモノにリンゴという名札がついていて、「リンゴを取ってくれ」と頼まれたらレンガではなく、ちゃんとリンゴを取って渡すことができればいい。それが名詞に与えられた機能であり役割です。

よく知られたカンガルーのエピソードがありますね。初めてオーストラリアを訪れたクック船長が見たことのない生き物を指さして、「あの動物の名前は何というのか」と質問しましたが、聞かれた現地の人が、「わからない」とアボリジニの言葉で答えた。それを名前だと勘違いして「カンガルー」と呼ぶようになってしまったという話です。しかし、動物を指して名前を言えば意味が伝わる。カンガルーとコアラを間違えることはありません。それを記号と言いますが、記号が適切な機能を持って流通さえすれば、そこに語源や意味の正しさなどは必要ありません。ちなみにカンガルーとは「跳ぶモノ」という意味の現地語から来ているようで、このエピソードも本当の話ではないただのジョークだそうです。ガッカリして「アボリ死に」しただろう、読者。

名前というものが果たす役割が重要であることは、ゴダイゴや小林製薬宣伝部に聞かずともわかっています。自分が伝えたい意図と他人が受け取る印象には食い違いがありますから、その隙間をいかに過不足なく埋めるかは大切な問題です。子どもに名前というネーミングをしたり、自分がどんな人間なのかを説明するときにも正確に言葉を選ばないといけません。名前は所属やステータスもあらわしていますから。

「来夢来人」なんていう名前のスナックがありますよね。その紫色に光る看板の前で、我々は何を感じるべきでしょうか。最初にその語呂合わせを考えついた人については賞賛しましょう。どんなことでも初めに生み出す人は偉いのです。でも手垢のついた語呂合わせを何十年経っても面白がって、さらには自分の店の名前にも選んでしまう北関東的なセンスには納得いきません。俺はそれを、「友だちが少ない不幸」だと思っています。「今度、スナックを始めようと思っているんだけどさ、来夢来人って名前にすっかな」と相談されたとき、「それ、ウケる」というノリの友人だけしかいないとそれに決まってしまいます。「山ちゃん、悪いことは言わないからそれだけはやめとけや」とたしなめてくれる、冷静で教養ある友人も同時に必要だということです。キラキラネームなどというヤンキー文化も、「センスある親戚がいない」という、まったく同じ問題なので説明は割愛します。そして、スナックのマスターを「山ちゃん」などと決めつけて描写する俺の典型的なセンスにも反省する用意はあります。

とにかくネーミングがひどいのは自治体などのお役所です。「さわやかパーク」「ほがらか児童館」なんていうのは、どういう会議を突破して決定されたんだろうと疑問に思います。当たり障りのないフンワリ路線だというだけで、完全に「来夢来人」と同じ経過を辿っていますね。さわやか、ほがらかの評価は利用した側が決めることだから、こっちが言うまでアピールするんじゃねえ、と思います。

8 野外とフェス

俺はブランド戦略として、不平・不満、下ネタを書かないようにしています。不平・不満とは自分が思い描いている理想像と現実の境遇のズレですから、自分で解決すればいい問題です。ふいに無関係な他人の愚痴を聞かされると気分が悪くなることがありますよね。そして下ネタは筆力や話術がない人がするとただただ下品なだけで、これも押しつけられるのはたまらないというのが避けている理由です。しかしながらそれらには根強いファン、いわゆる下品推しがいることも知っていますので、唐突にスコットランドでの「野外フェス」の思い出を書きます。心臓の弱い方、お食事中の方は、これより先をお読みにならないように。

朝の5時に目が覚めました。時差ボケということではないですけど、普段地獄のように不規則な生活をしているので、きちんと三度の食事をとって、ベッドにカラダを水平に安置されると快適すぎて熟睡し早起きしてしまうのです。こんな日が続いたら最悪の場合、健康になっちゃう、と感じました。

スコットランドの大自然でのヘルシーな午前中の撮影が終わり、快適なカフェテリアで美味しい食事。次は山から海岸に移動して撮影です。移動撮影中には建物があるところで早め早めにトイレを済ませておくのが基本です。誰かの「トイレに行っておこうっと」という言葉を耳にしながらも、自分だけはなぜか平気、という過信、下半身の傲慢さにとらわれていました。あのときカフェテリアにあったクリーンでデザイン性の高いトイレに行っておけばよかった。後悔してもあとの祭りです。

1時間ほど山道を越えていると、海岸に向かって走る振動でシェイクヒップされた俺の「ほの暗い内臓の底」から違和感がこみ上げてきます。あれ、これはまさか。いやいやまさか。ロケ場所についていざ撮影が始まると集中して無になり、ほの暗い場所には何事もなかったかのように軽やかにシャッターを切り続けられたので、これはセーフだなと思いました。

今日の撮影は終わりなので、みんなは記念写真を撮ったり、思い思いにのんびりとビーチで貝を拾ったりし始めました。いや、早く帰ろう。街に戻ってトイレに行きたたい、それどころか目の前の駐車場に停めたクルマまでも俺の、ほの暗い内臓はもたないのではないかと頭がクラクラしてきます。

女性ばかりの現場でエレガントに振る舞う余裕さえなくなったので諦めました。「俺、トイレに行きたいです」とスラムダンクばりに宣言すると「草むらでやっとけばいいじゃん」とみんなの軽い反応。それがリキッドタイプだったら男ですから誰にも言わずに隠れてやっています。自己顕示欲強めのタイプだから困ってるのに。諦めたらそこで固形物が漏れちゃって尊厳終了です。

さすがに俺の苦痛のリバウンドに気づいたのか、「鼻セレブ」を渡され、ほとんど身を隠せないスッカスカの草むらの陰へ逃げ込みます。50歳を超えましたが、シェットランドの快晴の空の下、おケツを出す運びとなりました。可愛いイラストつきで「犬のうんち禁止」と書かれた立て札がある場所で、50代の東洋人が脱力しながら脱糞している。これはありなのでしょうか。ありとかなしとかではない。腸内の実存主義じみたものだけがそこにある。一瞬の罪悪感と恥ずかしさと爆発的な開放感。頬をなでる潮風、波の音。日本製ティッシュの上質な肌触り。伝えられなかった言葉。

これはまさに「尻セレブ」と言えましょう。ハムスターが死を迎えたときにやるように、供養のためそっとちいさな枯れ枝を立てておきます。これが俗に言う「野グソの墓」というやつです。スイスのロケでも一度、壮大な大草原で便意をもよおし、どこまで行っても隠れる場所すらない中での野外フェスという蛮行に及んだ経験があります。しかし物心ついてからの野外フェスはこの2回だけ。俺は都会の人間ですから、とにかく子どもの頃でも野原でなんかしたことがありません。それが中年になってから2度も。これは円熟と言うよりも、加齢による何かの崩壊を感じます。

スコットランドの大自然、この感動的なまでに素晴らしい植物や動物の生態系に、自分が名刺代わりのウンコで微かながらかかわれたことを考えると「あいつロケの途中でウンコしたくなって恥ずかしい」というようなささいな被害妄想はどうでもよくなりましたが、これからは早めにトイレは済ませておこうと心に決めたという、哲学的な思い出です。

9　サバティーニとスターバックス

日本人は「フレキシブルな頑固者だ」、とロバートは言います。流行のスタイルや外国から入ってきたブランドものには極端に敏感なのに、その歴史や本質にはまったくと言っていいほど興味がない。大勢が初めて聞いた情報にピラニアのように群がり、一瞬で消費し尽くし、「あれはもう古いよね」で、ブームが終わります。

20代の初め、当時つきあっていた女性と青山の老舗イタリアンである「サバティーニ」で食事をしたことがあります。サラッと書きましたけど、名の知れたレストランを予約することは当時の若い自分にとってなかなか勇気のいることでした。しかしその夜、食事をしている最中も、帰るときも、彼女は何の感想も言いませんでした。「美味しい」とも「うれしい」とも言わなかったのです。自分が誘って奢ったからそう言って欲しかったわけではありません。ただ、感動がない人だなと感じたのです。それからしばらくして、彼女の友人たち数人と一緒にカフェで雑誌を読んでいました。

その女性誌の表紙には、「彼に連れて行って欲しいレストラン」と書かれています。パラパラめくると、ランキング上位に「サバティーニ」が入っていました。それを見た彼女は突然、「私、この前、ここに行った、行った」と、鼻の穴の直径をやや大きくしながら皆に向かって騒ぎ始めました。そう。彼女は実際に目にして口にした料理の印象よりも、雑誌が決めたランキングの方が大事だったのです。これほどガッカリした経験はありません。

昔、アメリカ西海岸で撮影をしました。最初に会ったときから偉そうでイヤだなと都会の勘で感じていた日本人の重役が来て、彼の部下が深夜のスタジオにスターバックスのコーヒーを差し入れしてくれました。まだスターバックスが日本に上陸していない頃の話です。疲れていた我々にとってはうれしかったのですが、その重役は目の前に置かれたカップを見て突然怒り出しました。「おい。こんなプラスチックのカップに入ったコーヒーを私に出すなんて、失礼だと思わないのか」と。

彼は自分が周囲からどう扱われているかをひどく気にするタイプのようで、みんなが呆然としました。そんなことで人は怒れるのか、と。サッカーで言えば、角度のないところから決めた怒りです。仕方がないのでそのコロンビア大学卒の部下は、別の部屋でちゃんとした陶器のコーヒーカップに中身を移し替えてまた持ってくるという、画期的にくだらない仕事をさせられました。なぜ出身大学を知っているかというと、あとでこの話をするときにエッジが立つかもと思って彼に聞いておいたからです。ロバートは抜け目ないのです。

日本に店舗ができてスターバックスが知られるようになると、流行受け入れ体制の人々のパスポートには、「スタバでコーヒーを飲むのはシャレオツ」というスタンプが押されました。あのコーヒーが美味しいかどうかという本質には一切触れられませんでしたけど。数年後、広尾だったか麻布十番だったか忘れましたけど、スターバックスの前を右足と左足を交互に出しながら通りかかったとき、俺は信じられない光景を目にしました。テラス席にアメリカで会ったあの重役が悠然と座っていたのです。晴れた休日の午後、典型的な毛並みフッサフサの犬を横に座らせて、完膚なきまでにプラスチック素材のカップで彼はコーヒーを飲んでいました。ついでに言うと、素足に白い革靴をはいていました。

そうです。彼はスターバックスが知られるようになり、「あそこでコーヒーを飲むのはイケてる」という情報を知り、受け入れオッケーサインを出したのです。以前、自分が西海岸の深夜のスタジオで激怒したことなど何も憶えていないと思いますが、なんというクオリティの高いダサさでしょう。概念を超えた固形物のようなダサさ。あの夜、涙ぐむ勢いでカップにコーヒーを移し替えていたコロンビア大学卒に「思い出し土下座」で謝罪して欲しい、とロバートは思いました。

サバティーニもスターバックスの例も根は同じで、日本人はとにかく他人が決めた評価に弱いと言えます。ランキング、占い、外国の権威、有名人の推薦。自分が決めるべきことに対して他人のスタンプが押されていないと不安で仕方がない。選択した責任を自分が取りたくないのでしょう。よくある日本人評ですが、決定権を持たない社員が出張に来ることへの不満を外国企業の人から聞きます。「お話はよくわかりましたが、私の一存では判断できないので東京に戻り次第、上司と相談して答えを出します」と日本へ帰っていく。お前は何をしにミネソタまでやって来たのか。これでは現地でのミーティングに何の意味もないではないか、と。ではどうすればいいのでしょうか。すべてに対して決定権のある経営者が出向くことは不可能ですから、権限の譲渡、分散が大切になってくる。そうすることでやっと「責任」という日本語は、「お前、責任取れるのかよ」という強迫からカタチを変え、「私の責任でやります」という能動的な用法に変化することができるのでしょう。

今、世界を席巻しているネットをメインとした企業の多くは、数人規模の時期に（乱暴とも言える）飛躍的な成長を遂げています。これが意思決定の速さのメリットで、急にビジネスっぽい話になりますけど、経営者がどれだけ現場に判断を任せられるか、というのが企業の成長の鍵なのです。ここだけパワーポイントでプロジェクタに投影されたような雰囲気で申し訳ありません。

ヴェネチアへイタリアのブランドの撮影に行ったときのこと。俺たちのチームの仕事はインスピレーション優先かつ飽きっぽいので、何かを先に決めておかないようにしています。ここでこれを撮って、こっちでこれを撮って、と一応日本でラフは作っておいても、現場で何かを見つけたり思いついたりすれば違うことをします。その偶然を取り込むのがロケの良さだからです。

そのときも元の予定を変更して、運河の船着き場に面したカフェで撮ろうとしました。事前に撮影許可などは取れていないのでカフェの若い従業員に話をしに行くと、すんなり撮影の許可がもらえてテラスで撮影を始めました。するとどこかに出かけていたらしいカフェのオーナーが帰ってきました。遠くからでも「お前たちはそこで何をしているんだ」という顔をしているのが手に取るようにわかりました。すると、さっきの従業員が素早く走ってきて、「私が彼らに撮影の許可を出しました」と言ってくれたのです。

オーナーは「それならよろしい。いい写真を撮りたまえ」と屈託のない笑顔を見せました。この話にはいくつかのヒントが隠されているのに気づくと思います。まず、そこで見たことに対応して事前に決めた計画を変えたこと、カフェの従業員が自分の裁量で許可を出したこと、オーナーが自分がいない場でなされた従業員の決定を尊重したことなどです。日本スタイルの企業でそれができるところはあまり多くないだろうと思います。契約のように事前に決められた計画通りにだけ仕事を進めるのは、たまたまそこで奇跡的にいいものに出会ったとしても無視することに繋がってしまいます。部下はあとで責任を追及される可能性があることに対してできれば何も許可したくない。そして経営者は、不在時に行われた部下の決定に、勝手なことをするなと叱責したりします。さて、あなたの会社はどうでしょうか。

国民性というと抽象的で大ざっぱな議論になりがちなんですが、このように日常的な慣習や個人に与えられた権限などを見ていくと理解できることは多く、その根本は「いかに自分の存在には価値があるか」という哲学のあり方にも繋がってきます。キリスト教では、個人に与えられた才能のことを「ギフト」と呼びますよね。神様が個人に与えた贈り物は正しく有効に使うべきで、それはいかなる他人からの命令によっても損なわれるべきではないという教育が、幼少の頃からなされています。カフェの店員でもオーナーでも、仕事をするうえで客とかかわるときは自分が店を代表して意見を表明する。それが仕事をするうえでのプライドだ、と彼らは考えます。日本人がよく言う、「貴様みたいな下っ端じゃ話にならん。責任者を出せ」というのは、ひどく横暴で失礼な態度なんですよね。

昔のアメリカでは教育を受けていない人や英語を話せない移民を雇う必要から、ファストフードチェーンなどで接客マニュアルが作られました。こう聞かれたらこう答えるというお手本で、それさえできればまあ困らないだろうという最低限のやりとりが機能的に網羅されています。日本では社員教育の効率だけを基準に、あらゆる職種でマニュアルが導入されました。マニュアルという概念が輸入されてしまったことで起きた日本のサービスクオリティの低下には目を覆いたくなります。そもそも日本人のみが働く場で言語的なマニュアルはほぼ必要ないはずです。例外としてアメリカでいうマニュアルと似たものに、吉原の「花魁言葉」というのがありました。当時の吉原で働いていたのは地方出身の娘が多く、粋な遊びの場で方言丸出しだと困るというわけで、あちき、ありんすなどという「そう言っておけば済む」新しい言葉を作ったのだそうです。日本には世界に誇れるサービス精神があったはずですけど、これもどんどん「低きに流れる」傾向にあります。

世の中がどんな構造で動いているかに興味がない人は多いですよね。有権者として参加しているはずの政治にまったく関心がないとか、末端で仕事をしているから上層部の意向はわからないとか。自分がかかわっていない次元に想像が及ばないのは当然ですけど、世界全体は同じひとつの動きで歯車が繋がっています。その仕組みに希望を見いだすことも無力さを感じることもありますが、何かをすれば、どんなちいさなことであろうとも、それからの世界は変化していくんです。

あるしょぼくれたアート・イベントに参加したとき、会場整理のアルバイトがいました。たぶん大学生くらいでしょう。何もない、誰もいない、だだっ広い敷地の真ん中に工事用のコーンみたいなモノを置いてその隣に立っている。俺がそこを通ろうとすると立ちふさがり「こっちは出口です。入り口から入ってください」と言う。ちょっと待てよ。このコーンの左右に、どんな意味があるというのか。

こういう自分の頭を使わないマニュアルバカというのは救いようがありません。アルバイトをするときに管理者からそう説明されたんでしょう。駐車場の入り口ならまだわかります。クルマが車線を逆走したら危険ですから。でもそこにあるのは、クルマも歩行者もいない場所に提示された「現代美術じみたコーン」です。「概念としてのコーン」かもしれません。現代美術と概念が兄弟であるとするならば、ブラザー・コーンと言えます。これは決してアルバイトの生真面目さなんかじゃありません。何も考えずに下された命令に従う「自己判断の放棄」です。それがあらゆる場を支配しています。言われてみれば混雑時以外になんでここを分ける必要があるんでしょうね、と、自分の仕事を疑ってサボることだってできたはずなんです。

「日本人はルールを守る品行方正な国民なのではなく、ルールを破っている人を見つけたら責め立てて守らせるのが好きな国民である」と誰かがうまいことを言っていました。

都内のある立派なホテルの朝食に行ったら、時間が早かったので客は他にひとりもいませんでした。店の入り口にいた若い男の従業員が、「順番にご案内しますのでお待ちください」と言います。おい。もしかしたら俺にだけ見えていない、団体観光客の霊でもいたのでしょうか。話はアクロバティックに変わりますけど、俺は味噌汁が苦手です。外食で出されたモノを残すのは勿体なくてイヤなので、いつも注文するときには「申し訳ありませんが、お味噌汁はいりません」と高らかに宣言するのです。すると、「値段は変わりませんけど」と言う。値段の話はしてないんですけどだいたいそう言われます。また、「いらないんですね」と確認したはずなのに、いつもセットでつけている習慣からか、味噌汁がしっかり出てくることも多いのです。まあ、日本人で味噌汁が嫌いな人など少ないでしょうから、マニュアルからはみ出している俺も悪いとは思っていますけどね。

あるとき、とんかつ屋さんに行くと、「はい、お味噌汁なしでお持ちしますね。かしこまりました」とハキハキ答えてくれた女性店員（ヤマダ・仮名）がいたので俺は期待しました。ヤマダなら大丈夫だろう。やってくれるだろう、と。料理が届くと、味噌汁がついていないので、「よっしゃ、よくやった」と心の中でホメようとした、その瞬間です。ヤマダは「ご飯と味噌汁のおかわりは無料になっておりますので、お申し付けください」と言ったのです。もう、背中についてるボタンを押すと誰にでも同じことを同じタイミングでしゃべる機械、マシーンですよ。

もうひとつだけ似たような話を。あるカジュアルなレストランで学生アルバイトらしき店員が数人、黙々と仕事をしていました。俺は食べ終わってレジでお金を払い、アルバイトの若い女性に「ごちそうさま」と声を掛けました。聞こえていたはずですが、彼女は何も言わない。不思議な気もしましたけど、まあこういう店はそういうものかと思って出口のドアを開けました。するとピンポーンという音がして、それを聞いた店員全員が「ありがとうございました」と、こちらも向かずに大声で言ったのです。私が目の前で言った「ごちそうさま」には誰からの返事もなかったのに、彼らは電子音にだけ反応しました。マニュアルなどという以前に、これもロボットが働いているかのような不気味さを感じました。

教えられたマニュアルを忠実に守ることは真面目なようでいて、実はとてもフマジメな態度なのだとわかって欲しいのです。自分で考えることを放棄して、「決まりですから」と言ってしまうと、そこに自分の考えや責任が生まれません。何かすべてのトラブルを回避するように、「なっております」「なります」という無責任な言葉を平然と使う人がいます。「こちらは別料金になっております」というのは、「私が決めたわけじゃないですが、本部の決定で別料金になっているらしいです。だから私に文句を言わないでくださいね」と言っているのです。

自分の立場と客の立場を置き換える認知能力さえあればサービス業の質は向上するはずで、それを理解できない人にはウンザリします。マニュアルを守らせる経営者側は効率優先だから仕方がないですけど、問題はそれに慣れてしまう「守る側」です。ネットで何かの事件が起きると「普通、それはないだろ」という意見が大半を占めます。このときの普通という表現がカタチのない世間や常識のルールに飼い慣らされている証拠で、個人の感情や個別の事情を何も考えていません。

日本がオリンピック招致で「オモテナシ」などと世界にアピールするのは、逆説的に言うといかに日本人からおもてなしの精神が失われているかの証明なのかもしれません。現在何かを豊かに持っている人は自分が持っているものを知らず、なくしたときに「昔はあんなに持っていたのに」と言いがちです。バブルの頃は俺も羽振りがよかったんだよね、と懐かしむ人に西麻布の交差点あたりでウンザリするほど会ったことがありますけど、今でも継続して羽振りがいい人は、昔のことも今のことも自慢げには言いません。

ロバートは、「今、フェラーリに乗っている人よりも、昔乗っていた人の方が、より多くフェラーリの話をするよね」と言っています。

10　西葛西とニューヨーク

1ドルが360円だった「あこがれのハワイ航路」時代からずっと、日本人は外国に行くのを特別なことと考えています。一生に一度のことだろうと言って、高齢のご夫婦が「ヨーロッパ7日間・6ヶ国の優雅な旅」なんていうのに出かける。そんなに国境を越えたバス移動ばかりしていては疲れるし、優雅どころじゃありません。驚いたのが、日本人のパスポート所持率は25％程度だと言います。持っている人は首都圏に集中しているだろうと推測できるので、地方ではもっと比率が下がるはずです。やはり一生に一度だから、せっかくヨーロッパに行くんだから、という考えになるのはまだまだ仕方がないことなんでしょうね。

昔、ドーバー海峡を船で渡ろうとフランスからイギリスへ移動していたときのことです。船内で英語を勉強している小学校低学年くらいの子どもたちがいました。そのへんの人にあたりかまわず「今、何時ですか」などと英語で聞いている、ほほえましい光景でした。引率の先生に聞いてみると、彼らはパリからロンドンに遠足に行くのだと言います。これがヨーロッパの子どもの「外国への感覚」で、多くの日本人とはかけ離れています。父親と母親の国籍が違っているなどということも至極当たり前で、休暇にはどちらかの母国に行くこともあるでしょう。そういう育ち方と、「優雅なロマンチック街道の旅（ほぼバスの中）」への参加意識とは大きく違います。特別な出来事である、と決めつけることは、知らないことを勝手に想像することに繋がります。体験で話していないからです。彼らはモンパルナスやモンサンミシェル、凱旋門やブランデンブルク門など、名所旧跡の写真をたくさん撮るんでしょう。モンばっかり撮って、7日間・6ヶ国の旅でわかることはほんの少しだけだと思います。

数年前のデータですが、外国で亡くなった邦人は598人だそうです。そのうち422人は疾病、62人が自殺、交通事故29人、作業事故・困窮などが16人、そのほかの事故が44人。これらの人数は特に外国だからという理由ではないですね。殺人・犯罪が15人、テロ10人。つまり、純粋に「治安の悪い外国に行くと危険だよ」というアドバイスが当てはまるのは犯罪とテロを足した25人です。その25人はおそらくニュースなどで大々的に取り上げられることになるので印象は強いでしょうが、これは日本国内にいて犯罪に巻き込まれて亡くなるよりちいさい確率でしょう。数字で見ると明確になりますが、これが「無知の恐怖」なんですね。差別とも言えます。

モノを盗まれる、食中毒になる、犯罪に巻き込まれる、と相手の国を、知らないからという理由で批評するのは完全に差別です。たとえばウィーンから上品な家族がやって来て、浅草の伝法院通りや赤羽の飲み屋街を見たら腰が引けることでしょう。「あんな不衛生そうな店に入ったら食中毒になるぞ」と感じるかもしれません。これは我々日本人がアフリカの奥地とか、アジアの辺境の地に対して感じるのと同じ反応ですが、私たちは浅草や赤羽に行くたびにお腹を壊してはいませんよね。というか、名誉のために言っておくとそんなことはただの一度もない。

知らないと不安になり、理解しないと不安は差別にカタチを変えるのです。ちなみに俺は今までに30回以上はパリに行っていますが、「来週パリに行くんですよ」などと言うと、必ず親切そうな見ず知らずの人が、「あそこは泥棒だらけだから気をつけてくださいね。私は10年前に新婚旅行で一度行ったんでよく知っています」なんて言ってきます。全身全霊で黙っていて欲しいです。確かに日本より窃盗被害が多い街であるのは確かかもしれませんが、少なくとも俺に関して言えば、一度もパリでモノを盗られたことはないですし、盗ったこともありません。

ちなみに、外国に行ったときにトラブルに見舞われる人にはいくつかの共通点があります。危険を察知できない人、わざわざ危険だと言われる場所に行きたがる人、ギャンブルする人、酒やドラッグをエンジョイする人、女性と何かしらエンジョイしようとする人、です。反対に言うと、これらから距離を置けば世界中どこでも危険な目には遭いにくいものです。俺のように「ひ弱な外見の東洋人」であっても、それらを守っているので、強盗などのトラブルに遭ったことはまったくありません。

俺は20歳くらいのとき、当時つきあっていた女性とニューヨークに遊びに行く計画を立てました。割とひんぱんに過去につきあっていた女性や男性の話が出てきますが、気にしないでください。忘れもしない、変な髪型をした田舎者の不動産業者がニューヨークでブヒブヒ言わせ、自分の名前をつけた下品なビルをミッドタウンに建てていた頃の話です。さて旅行会社に申し込むかという直前になって、彼女の親からストップがかかりました。「ニューヨークは危険だから行ってはダメだ」と言うのです。ちなみに彼女の両親は一度もニューヨークに行ったことはありません。なぜ行ったこともない場所が危険だとわかるのでしょうか。無知の恐怖は差別と同時に、既知のモノへの鈍感さも生みます。

もしもそのとき、ニューヨーク行きを取りやめた当日に彼女が江戸川区西葛西あたりで交通事故に遭って死んだら何と言ったのでしょうか。ニューヨークで死んだ可能性ももちろんゼロではないはずですが、西葛西でも楽勝で死ぬことがあります。たぶんニューヨークで死んだことの方が話題としてキャッチーなので、より強めに語られ、強めに伝わってきただけのことで、行動したことによる失敗が嫌いなのです。

あなたの知り合いで外国で死んだ人と日本で死んだ人はどちらが多いですか。99・99%のメガネをかけた人が、国内でドメスティックに命を落としているはずです。俺は世界中どこで死んだって一向に構わないと思っています。できれば江戸川区や渋谷区よりも、ブラジリアやマラケシュで心電図がツ——ッとなった方が楽しそうですよね。だって法事での思い出話が毎年ドラマティックに盛り上がるじゃないですか。この世で家族の笑顔より大事なものはありませんから、盛り上がる法事が最優先です。

哲学というのはレゴで出来上がった大きなモノを、ひとつずつのパーツに戻して整理し直すことでもあります。社会、政治、経済などは一見複雑にできているように思えますが、大量のレゴブロックが使われているだけです。どんどん分解していって原子のようなひとつのレゴにまで戻してみると、そこに特別な意味はなくなっていきます。ひとつのブロックはどんなモノでもないと同時にどんなモノにもなることができます。あらゆる差別は、それぞれの違いを、「乗り越えられないモノと諦めること」からきています。私とあなたは宗教が違う、政治理念が違う、肌の色が違う、利き腕が違う、と去年の彼氏との差を見つけて争いになるのですが、人間をタンパク質の単位にまで戻してしまえば、何の違いもなくなります。哲学がマーケティングバカのような功利主義者たちから疎まれるのも、ちいさな差をむりやり作り出して経済活動に結びつけようとする、彼らが捏造した根拠が揺らいでしまうからです。

生きることに疲れている人は、そういった差が作り出す無意味な競争や幻想と戦って、「自分は負けたのだ」と勝手に思い込んでいます。俺が尊敬する友人の堀潤さんは、ジャーナリストの正しい態度は、「ちいさな主語を使うこと」だといつも言っています。国家が、世界が、日本人が、などという大きな主語を使わず、その事実を目撃したひとりの私はこう感じた、その事実を聞いた僕はこう思った、というのが大切だと言っています。事件や災害が起きると沖縄でも中東でも同じように必ず現場に足を運び、ひとりひとりの声を聴いて、それを丁寧に拾い上げ、堀潤さんは誰の検閲も受けない自前のメディアを運営して発信し続けている。素晴らしいことです。

家庭や学校や会社はちいさな主語の寄せ集めで、それをさらにまとめたのが国家です。大きいとわからないことも、分解してみれば気づくことがあります。自分は生まれてから死ぬまで何も変わらないちいさなひとつのブロックで、床に落ちているのを踏むとすごく痛いとか、たとえ大きな全体に組み込まれようと、それは自分の能力が優れているからでも劣っているからでもないのだというのがわかってきます。それさえわかれば、生きていくのがちょっとはラクになるかもしれません。生きている事実を肯定するために、すべてを「何も起こっていない状態」の、純粋な源流に遡って考えるのが「哲学」です。そこには勝ち負けなんてくだらないものは存在しません。

11 ソクラテスとツルッパゲ

ソクラテスは、哲学は「対話」によって生まれると言いました。言ったらしいんですけど俺は現場にいなかったので恥ずかしながら白状しますけど、又聞きです。人がひとりで体験できることや考えることには限界がありますから、ソクラテスは自分以外の人と対話することによってヒントを得て間違いを正し、より知性を深めていこうとしたのです。したらしいのです。

俺が初めてアップルのパーソナル・コンピュータを買ったのは1989年のこと。もう30年ほど前ですから、厳密に言えばその年に産まれた子は30歳になっている計算になります。今のスマホを遙かに下回る性能のくせに100万円近くしやがったそのマイコンに、俺は「未来の始まり」を感じていました。でもしばらくすると、ある悲しい事実に気づいてしまったのです。「このコンピュータの中には、俺が入力した情報しか入っていないじゃないか」と。隣に座っていた同僚の頭をハンマーで殴られたような衝撃を受けました。俺が入力した情報しか存在していないなら、これは単なる電子的なメモ帳だ、と。ニュートンの万有引力のように画期的な発明かと思ったら、そうでもなかった。さらに後から「ニュートン」という電子手帳みたいなモノが発売されたので、俺はもちろん買いましたけど、あれは売れませんでしたね。

机の上で、薄いクリーム色のマッキントッシュは、俺だけしかいないちっぽけなリングの上で、戦う相手も見つからずに孤立していました。シルベスター・スタンド・アローンと言えましょう。その薄クリーム色の汚れちまった悲しみを昼夜問わずに世界に繋げてくれたのが、インターネットの登場でした。世界中の人々が発信する情報が、電話回線を通じてピーヒョロロとトンビのような音をたて、洪水のように自分のコンピュータの中に流れ込んでくる。これだよこれが未来だよ、エイドリアーン、と、そのとき初めて本当の「未来の始まり」を叫びました。

もしソクラテスの時代にインターネットがあったら、「対話」は劇的に変化していたことでしょう。いくら対話を重視していたソクやんでも、結局のところは身近にいた同じような価値観を持つ地元のツレとしか話していないわけですから。つまりインターネットは哲学のプラットフォームの発明でもあり得たわけです。それなのにその画期的なシステムを使って我々は何をしているのか。うつむいたスマホ歩きでネットニュースを読み、アイドルのゴシップに、「やっぱこいつすぐに離婚すると思ってたわ」と書き込んだり、「今、高円寺で飲んでます」とかいう写真をインスタグラムにアップしたりしている。インターネットは世界と通じている、などと大げさなことを言っていながら、結局は同級生と地元で飲んでる写真しか出てこないじゃないですか。毎週同じメンバーで同じ高円寺の店で飲んでるなら一枚だけ撮って毎回使い回せよ、とロバートは冷たく言いますが、俺はちょっとひどい言い方だと思います。最低でも夏と冬の2枚のバージョンはないと服装に違和感が出てしまうでしょう。

インターネットで知らない人と話したり何かの最新情報を手に入れることとソクやんが言うような「対話環境」を生み出すこととは少し違いますが、俺は哲学を生み出せるような、より深い対話をするために自分の中に別の人格を作り出すことにしました。

そこで生まれたのが「ロバート・ツルッパゲ」です。

俺は以前から、自分が考えたインチキくさい格言をネットに書くのが趣味でした。

ネットラジオでそういう番組のパーソナリティをしていたこともあります。俺が何でも瞬間的に格言にしてしまう「格言家」を名乗り、ディレクターの佐々木さんが弟子の「格言児」という設定でした。野球好きな人ならこの名前がオリエンタル・エクスプレスと呼ばれた速球派ピッチャー、郭源治さんのパロディだとわかるでしょう。そのダジャレが言いたかっただけの番組です。リスナーから送られてきたメールを読んで、毎週それを格言にしていました。いまだに初対面の人から、あのラジオのファンでいつも聴いていました、などと言われることがあるので、悪いことはできないものだなあと感じます。

残念なことにディレクターの佐々木さんが若くして突然亡くなってしまったことで番組は終わりました。とてもいい人で、俺と同じ年齢だったのでとてもショックでした。俺の仕事場の机の前にはラジオのブースで話している佐々木さんの写真がいまでも貼ってあります。

格言には仕組みがあります。どんなにくだらない内容であろうとも、最後に「ウォルフガング・テイラー（哲学者）」などと付け加えておくことで、不思議と立派な言葉に見えてくるものです。特に日本人は外国人への劣等感があるから効くのです。しかし自分で何も考えず、読んだことや聞いたことのコピペばかりしている人はすべてに引用元があると思い込んでいるので、次第にこんなメールがくるようになります。
「ウォルフガング・テイラーの著作が欲しいんですが、いくら検索しても出てきません。どこで買えますか」

俺はシャレが通じていないんだ、と落胆しました。それからは名前をロバート・ツルッパゲに変えて、架空の人物なんだよ、とわかりやすくしました。しかしそれでも、「ロバート・ツルッパゲの本はどこで買えますか」というメールが来ます。「そんなおかしな名前のヤツが本を出してるはずないだろ。ちょっとは考えろよ」と怒ってみても始まりません。仕方ないので、その誤解に現実の方をジャスト・フィットさせることにしました。俗に言う逆転の発想です。ですからこうしてロバートの本が出版されるのは、ロバートの読者に対する寛容さとサービス精神のあらわれなのです。

俺とロバートの間には境界線がありませんが、ロバートが何かを言った、と俺が伝えた方が客観性が生まれます。直接的な非難もされにくい。そもそもワタナベアニというのがペンネームですから二重のセキュリティがキマっているのです。たとえ「ワタナベアニ」という人格がどこかで攻撃されようと、俺本人にも近藤家の名前にも一切傷がつきません。アニメの主人公が馬鹿にされているのと同じことです。そう、狡猾なんです。狡猾は決して悪いことではありません。真面目な人がマジメに生きているだけで評価され、終身雇用じみた待遇をされるように牧歌的な時代は昭和50年代にすでに終わっています。「生きるためのセンス」をアップデートしないと、これからのシビアな時代は生きていけないのだ、とロバートは言います。

ネットにはあらゆる分野の有識者がいるので、学ぼうとする姿勢さえあれば対話の意義も価値もあるんですが、24時間こちらの都合に合わせてもらうわけにはいかない。だから自分の中に架空の対話者としてロバートを作りました。自分が思っていることを自分の考えだと堂々と表明することは正しいことですけど、思いつきに喜ぶあまり客観性が欠けることもあります。一旦それを他人が書いたものとして読んでみると、俺自身が他人として自分の考えを受け取って冷静に評価することができます。

皮肉っぽい言い回しや辛辣な発言を特徴にしたかったので、ロバートはどこかよく知らないヨーロッパ出身の60代のクソジジイであると設定しました。生まれた瞬間から還暦を過ぎているジジイです。そして思いついたことをロバートというニュートラルな他者の言葉に変換する段階で、最初に生まれる自分の着想にも大きな変化が生まれました。外国語に翻訳するための文章のように、きちんと主語をつけ、あやふやな言葉を避け、表現をできる限りシンプルにしてロバートに手渡す感覚になっていったのです。ロバートが言ったことは、「俺が言ったんじゃねえ」という逃げ道に使うこともあるんですが、それは単なる冗談であり、副産物です。

俺が今までに行った国は断然ヨーロッパが多く、なんとなく肌に合います。向こうが肌に合うと感じているかについては官公庁に問いただしたことがないので知りませんが、何度も同じ場所に行っているとだんだん慣れてきて観光気分がなくなっていきます。自分がその場にいることに物珍しさを感じなくなった頃、徐々に生活している人の本質が見えてくる。浅草寺とスカイツリーと竹下通りに行ったという3点を繋げただけでは、東京という星座は描けません。できるだけ体験の点が多い、点描画のように感じられる場所を世界中のあちこちに持ちたいと思っています。

去年のスケジュール帳を見ると、俺はだいたい月に10日くらいは外国にいたようです。10日間、外国で気分をリセットして、また20日間くらい東京を違う気分で過ごしました。特にシックなヨーロッパから帰ってきたときの新宿や渋谷は外国人観光客の気分になれます。「何だここは。クレイジーな街だぜ」と、見慣れた街を新鮮に眺めるのは楽しい体験です。物理的にも俺がロバート本人になっている瞬間が何度もあったのです。

ひとくちにヨーロッパと言っても国ごとにすべてが違っています。スイスなどは国の中でフランス語、ドイツ語、イタリア語圏があるように、ヨーロッパに共通しているのは複雑な人種や言語や文化があるせいで、異文化を理解しようとするスキルが洗練されていて幼稚ではない、ということ。それと比較すると日本はとても特殊で、ここまで幼稚さを感じる国は見たことがありません。俺は日本ができるだけ大人になって欲しいと思っているので、ロバートにはヨーロッパの老練な哲学者のように日本を批評して欲しかったのです。アメリカも多国籍で多様な文化に思われがちですが、実はアメリカに暮らしている人の多くは出自に関係なく、「イメージとしてのアメリカ人」を演じて生きています。ですからその点においては日本と似ていて、北米大陸という名の巨大な島国であるとも言えましょう。

あるフランス人に会ったとき、彼は日本のオタクを研究していると言いました。オタクとはいうものの、弁護士として毎日を忙しく暮らし、週末だけパートナーの女性と一緒にアニメのコスプレをしている「リア充」でした。日本のオタク文化の何が面白いと感じているのかを彼に聞くと、「世界中で貧困や戦争、環境問題などがある中、彼らだけはそんなことが存在しないかのように自室に閉じこもってアニメを見て、フィギュアを集め、アイドルの振り付けを真似ている。そこが珍しくて面白い」と言われ、俺はアルマ橋から極寒のセーヌ川に飛び込みたくなりました。ここで死ねば、我が近藤家のお盆は、さぞ盛り上がったことでしょう。「盆」という言葉はフランス語でダジャレにしやすいとは思うのですが、節度ある大人なのであえて言いません。

フランスの女性は、マドモワゼルではなく早くマダムと呼ばれたい、と言います。若いことが価値であるという女子大生ブームから始まり、女子高生ブームを経て低年齢化してきた日本の幼稚さをどうにかして欲しいと思います。若いというのは薄い本であり、情報量が少ないということです。ジェンダー論になってしまいますが、自分より体験や知識が豊富な女性を、男性は嫌いがちです。どんな場面でも自分が優位に立てないと不満だからです。若い女性は好奇心が旺盛ですから、流行のレストランやハワイや屋久島などに軽やかに出かけていきます。でも同年代の男どもはまるでそういうことをしていません。だから新婚旅行で初めて、自分の夫になった人が知らない土地で経験も知識もなくレストランで注文ひとつできない姿を見てショックを受けてしまう。これが成田離婚や羽田離婚です。そうなると男性は自分よりも知識が少ない女性である、より若い女性を追い求めることになります。ロリコンです。しかし最近の子どもはかなりマセていますから太刀打ちできず、仕方なく口答えをしないアニメの主人公がプリントされた枕を抱いて寝ることになります。

俺の女性の趣味に誰も興味はないと思いますが、20代や30代はロリコンと位置づけていて、女性が本来の美しさを輝かせるのは様々な体験や経験の物語を持つ40代からだと思っているのです。日本のスタイリストの草分けと言われる高橋靖子さんという70代の女性がいます。ある日、彼女とカフェで会うことになりました。靖子さんは、「アニさんに会うと思わなくて何もお化粧してこなかったから、近所のコンビニでリップを買って塗ってきた」と言うのです。どうです。この女学生のような可愛らしさ。そして若い女性は、「私も何十年か経ったら靖子さんみたいになりたいわ」などと図々しいことを言うのですが、これは間違っています。今が素敵な70代は当然20代も素敵であったはずで、突然そうなったわけじゃないことをわきまえて、甘えたことを言わないでください。

評価とは他人がするものですから、自分が外から見られたい理想の姿と決してイコールにはなりえません。その誤差を可能な限り減らそうとする努力が必要なのです。これの失敗が「クール・ジャパン」の正体だと言ってしまってもいいのですが、そもそも自分のことを「クール・内山田です」と自己紹介する無神経な人がいたとして、あなたはその内山田さんをクールな人だと感じるでしょうか。質問形式ですが俺が答えます。感じるはずがありません。

これも哲学的な考えですけど、何かの輪郭を描くときに内側からそれを描こうとするのはとても困難な作業です。なぜかと言えば、自分が含まれている場所だからですが、それを外側から規定する方法があります。地図のパズルで群馬県のピースだけがはまっていない状態を想像してください。群馬のカタチは新潟、福島、栃木、埼玉、長野、という外周からも描けるということです。地理に自信がないですけど合っていますでしょうか。複雑な出来事もロバートという外国人の目から見たことで考えると、日系人の俺が言うよりもソリッドになります。日本を日本語を使って日本にある要素だけで説明しようとしても難しい。しかし、膨大な日本以外のすべての要素をパズルのように並べることでも、幾何学的に「それ以外」という意味での日本が描けることになります。

ここ、ちょっと複雑なことを言っているんで、もしわかりにくかったら三回くらい読んでみてください。

これは「自分がやりたいことがわからない」という、道に迷った人にも応用できます。絶対にやりたくないと思っていることを全部書き出してみればいいんです。毎日出勤したくない、満員電車に乗りたくない、上司に命令されたくない、安い給料で働きたくない、つまんない仕事をしたくない、など、ド厚かましくてもいいので外側からできる限り精密に条件を埋めていくと、真ん中に残ったそれ以外のモノの姿がクッキリと見えてきます。それがあなたの「やりたいこと」です。「そうは言うけど、やりたくないこともやらなくちゃいけないじゃん」と前髪をいじりながら言う人に、やりたいことは決して見えてきません。妥協して受け入れてしまっている間は、満員電車に乗りながら満員電車に対して文句を言うだけしかできないのです。「何で毎日こんなに混んでるんだよ」と満員電車の乗客を構成している自分が言うのはおかしいですよね。

俺は原始的な人間なので、何かを理解するために物理的な接触を大事にしています。これは昔ロンドンに行ったとき、大勢が出席したパーティで気づきました。たくさんの人を紹介してもらったのですが、握手してハグした人、握手した人、挨拶だけした人、の順番で、記憶に残っていたのです。名刺なんていうのは後から何の手がかりにもなりません。カラダが接触した度合いで記憶に残っていたことがわかってからは、できるだけ人と会うと握手やハグをするようになりました。相手が美人の場合は少し長めにハグすることをこころがけています。

東西ドイツ分断の象徴であるベルリンの壁のことは本を読んだり映画を観たりして、うすらボンヤリは知っていましたが、実際にそこに行って左手で壁を触ったときの気持ちは決して忘れません。壁という政治的な障害のせいで恋人や家族と離ればなれになった人がたくさんいます。そこを乗り越えようとして射殺された人数は、わかっているだけで136人いると言われています。

昔そこに壁はありませんでした。今も壁はありません。普通に通ることができるはずの場所で、東西冷戦という政治の都合だけで壁が存在していた期間だけ、なくてもいい悲劇がそこに生まれてしまったのです。やりきれません。ルールの変更というくだらない話です。シュプレー川沿いのイーストサイドギャラリーと呼ばれる場所にわずかに残されている壁を手で触ることで、俺の肉体が歴史の持っている時間と物理的に繋がった気がしました。なぜ左手だと憶えているのかと言えば、壁を触っている左手を右手に持ったカメラで撮影したからです。

ベルリンには、芸術家が作った戦争のアート・モニュメントが至るところにあります。「つまずきの石」という金色の石が歩道に埋め込まれています。それは他の石畳よりも少しだけ高くなっていて、歩いている人がつまずくのです。各地に1万数千以上あると言われるその石にホロコーストの犠牲になった人の名前や住所が彫られているのは、現代のドイツに暮らすドイツ人が、それを忘れることがないようにという意味です。元は聖書にそういった記述があるようですが、制作者はこう言いました。「足もとのプレートを見る者は、自然と頭を下げることになる。それは、とりもなおさず犠牲者に対して頭を下げることに他ならない（グンター・デムニッヒ）」。

虐殺されたヨーロッパのユダヤ人のための碑であるホロコースト記念碑は、大きな黒い石棺をイメージした迷路のような施設です。子どもをイメージしたのかちいさな石棺もあれば背丈を超えるように大きなモノもあります。ドイツ人も外国から来た観光客もそこに迷い込むことで戦争という行いの愚かさを感じると思いますが、設置されているのは国会議事堂、フランス大使館、アメリカ大使館、イギリス大使館が並んで建っている場所です。日本で言えば永田町や霞が関にあることになります。信じられますか。ふたつの国が戦争責任をどう受け止めて考えているかという違いがここにあります。

俺はドイツで戦争を体験していませんし、日本で戦時中も過ごしていません。そういう「自分を構成していないプラモデルの部品」のような体験の断片を、出会って接触したら、とにかくバラバラのままプラモデルの箱のようなものに入れておきます。自分とは無関係な部品が膨大に増えていけば、いつかそれ以外のモノとして外側から自分を規定することができるのではないか。これがロバートの言う、「体験と経験が多い人ほど、自分のことを知っている」という言葉です。

体験や経験という材料が少ないまま強引に点を繋げて星座を作ってしまうと考えが浅はかになりますから、結論のプラモデルは慌てて組み立ててはいけないのです。

12　デュシャンとゴッホ

カレーにおける福神漬けの意味合いで、くだらないことでも書きましょう。俺がネットに書くくだらないことの中にもルールがあって、ゴシップ、下ネタ、愚痴と不満を書かないようにしていることはすでに書きました。それらは存在が弾丸としてすでに機能してしまっているので、誰でも飛び道具として使える。そこに工夫と労力が感じられず、芸がないからイヤなんです。部長のセクハラオヤジギャグみたいで。敬遠している部分ではあるんですが、ネットの大部分はその要素でできていて賑わっています。ゴシップとエロと中傷。それが「インターネットの醍醐味である」と公言してはばからない人もいます。言い方が粗すぎて「粗大ゴミ」ですけどね。本音ではエロとグロとYシャツと口紅と泥棒っぽい顔をした愛人が好きでもいいんです。でもソーシャルは外向きの自分ですから、演じるということが大切です。

30年くらい前のロンドンで、日本で働いたことがあるイギリス人から言われたことがあります。日本にはソーシャルという概念が存在しない。家と職場だけしかない、と。世間も英語でソーシャルと訳してしまいがちですが、ニュアンスは大きく違います。だからソーシャルメディアに、家族でも会社の同僚でもご近所でもない人がいきなり現れるととまどうわけです。お前は何者だと。いやいや、何者かわからない人と関わるのがSNSですよ。あと、単語を羅列したときに「Yシャツと私」「コックと泥棒」「心強さと」を持ち出す人の安直さを強く批判していきたいです。ノらないので、以上です。

急に本題に戻りますけど、アートの門外漢としていつも思っていることがあります。ギャラリーや美術館に行く人は「面白がろう」とする姿勢が強すぎるんじゃないか、という疑問です。もちろんアートとは面白く、楽しく、美しく、発見があり、日常的な感覚の盲点を揺さぶるものです。しかし、それは揺さぶられない場合もあるというごく当たり前のことも想定した上でのこと。「何も面白くなかった」という結論を抱えて家に帰ってもいいはずです。入場料の元が取りたくてホメるほど下品なことはありません。

俺は自分がやっていることをアートだと思ったことは一度もありません。アートディレクターなんて言っても、単語が同じだけで純然たるアートとは何も関係がないからです。アートディレクターのアートというのは、商業戦略的な部分で発生するソーシャルな「見た目担当」という意味合いでしかありません。純然たるアートとは「何からも独立したパーソナルなモノ」だと思っています。画家の目だけが見た風景や心象。本当はそんなものはないのに彫刻として目の前に現れる不思議なモノ。それは写真のような記録としての写実表現から始まり、飽き足らなくなって抽象に変化していく。ごく普通の鑑賞者の視点は抽象以前にとどまっています。ピカソのような絵については「何を意味しているのかわからない」と言い、チャック・クロースやクールベのような絵は「上手い。写真のようだ」と言う。

その中間というのもフランクで大ザッパな言い方ですけど、理解できる写実をハミ出さない程度に個性のある「印象派」なんかは、おばさんが「素敵ねえ」などと言いやすいので、保険会社のカレンダーになってトイレに貼られたりします。印象派が好きなおばさんを非難しているわけではありません。グラフィティが好きなおばさんもいますし、春画を愛する色っぽいおばさんもいます。世界中のありとあらゆるアートが氾濫していても「写真のように巧い絵」と「トリックアート」だけは別格の人気がありますす。なぜでしょう。アートの重要な要素である「理由なく感じる」という理解の難しい部分がどちらにもないからです。つまり、なぜそうなっているのかが誰でもわかるから。「前から見ると鳩だけど、横から見ると爆弾であり、作者は戦争と平和を描いている」みたいなロジックとしての言葉に置き換えて理解できたと納得するからです。写真のようなデッサンができることは褒めなくてもいいんですが、素人が自分にはできそうもないことをアーティストの資質と間違えている。鑑賞者の限界と言って差し支えないと感じます。

料理で言うと（アートは料理と近いからすぐたとえ話に使って悪いんですけど）京都の料理人がハモを0・5ミリ間隔で骨切りしたりします。これはさすがに職人技だと。でも、大切なのはそのハモが、食べたときに美味しいかどうかなんですよね。理解した情報ではなく「理由なく感じる」部分。そこには自分の判断が必要なので、GACKTさん以外の味オンチな人はそれが美味しいかどうかがわかりません。感覚で言っていいはずなのに隣の人を見ながらビクビクするわけです。そこで何に頼るかというと食べログやミシュランの星の数。みんながそう言うんだから自分も美味しいと言って大丈夫だと思うのです。「自分に何も感動を与えないモノは、どれだけ他人の評価が高かろうがよくないと全面的に決めていいし、クソミソに言っていい」と憶えておいてください。

哲学とは、「私の目には、世界がこう存在して見える」という表明です。だから自分がやっている写真家という仕事はかなり哲学的だと感じています。一輪の薔薇が咲いている。これを撮る人が１００人いれば、１００通りの薔薇の写真が生まれます。他人とは違う見方で世界を見つめる、自分の目を表現することが哲学や表現であるのに、みんなと同じやり方をして勉強して安心しようとする人々がいます。このやり方を憶えなさいと教える無教養な先生にも責任があります。何かのお手本に近づけば巧くなったと思ってしまう、勉強の方法を知らない人たちです。

ミシュランで三つ星であろうと、トラックが七つ星であろうと、自分にとってそれが必要だと感じなかったらダメと言っていい。でもそれは芸術の権威至上主義と同じで、「そう言ってしまったら自分がわかっていないと思われる」という恐怖とワンセットです。一番わかりやすいのが美術を学んでいる学生。美術館で難しそうな顔をしてパネルの説明文ばかり読んでいる。解説がないと何に感動していいかわからないのでしょう。設置業者の手違いで、解説パネルがひとつずつズレていたらどうするんでしょうか。

「ART IS NOT OPTION」っていうTシャツをどこかで見たことがあって、なかなか面白いフレーズだなあと感じました。芸術は生活に不可欠であって追加されるモノじゃない、って意味でしょうけど、これは理想であり、悲しいかな現実とはかけ離れています。普通の人は芸術がなくても何ら支障なく生きていけます。でもたまには金沢の美術館に行ってみるか、21世紀だし、みたいなことになり、SNSに写真を載せます。「美術館に来てます」と。すると友人が「ユミコはセンスいいわね。芸術の秋だね」なんてベタなことを言いますよ。馬鹿にしてるんじゃなくて9割7分6厘の平凡な事実描写ですからそれが悪いとかいうのではなくてね。それよりも、アーティストの側にも「ユミコ」がいるという事実の方に驚愕します。「純然たるアートとは唯一無二の何からも独立したモノ」というような伝統的な意識を軽々と超越した人々のことです。最初から知らないのかもしれないけど。アートやりたいんだよねえ、と、彼らは日暮里でカラオケでもやるようなカジュアルな宣言とともに始めます。この人たちはデッサンを学ぶなんてシチ面倒くさい方法じゃなくて、手っ取り早くリミックスと呼ばれるコピペや、パロディと言われるコピペを始めます。

すでに世間から認知された価値をイジることによって、最小限の労力で歴史に鉄槌を食らわしたような快感を得られるのです。これを「デュシャンの呪縛」と言います。

今ノリで言ってみただけですけど。権威として存在し盲信されてきたものにヒザカックンするのは、現代美術がやってきた「裸の王様」という（当時は新しかった）表現方法ですが、もう世の中の多くの出来事がもともとヒザカックン状態から発生している現在では、カックンしているモノにカックンしても、あらゆる関節がカックンカックンしちゃって、もうわけがわからないんですよね。

元々、権威の体系的な教養や素朴な刷り込みである盲信すらないから、権威のないものに矛先が向き、その題材となる対象は身近なアニメ、アイドル、オタク文化などになっていきます。これらがサブカルチャーやカウンターカルチャーと呼ばれていた頃は、確固たるメインストリームと揺るぎないオーソリティが存在したからこそ意味があり、居場所が与えられていました。しかしアートを志す「ユミコ」は、権威とは無縁の郊外の団地でコンビニやアニメ育ちですから、アーティストとして言及すべき対象がコンビニエントなご近所数メートルの範疇にとどまるのも無理はありません。それこそが「現代アート」である、という意地の悪い言い方もできるんでしょうけど。

パリのサントノレに住んでいる友人の息子は、パレ・ロワイヤルの庭園で彼女とデートをしています。ルーブルを横目に見ながら。キリスト教的な価値観もそうですが、権威を具体化した街の中に暮らして軋轢に打ちのめされる。ちっぽけな自分が何をしようともこの歴史や威厳からは決して逃れられないのだという感覚。カウンターカルチャーが発生するのはこういった環境があってこそです。

呪縛ついでにもうひとつ、「ゴッホの呪縛」というのがあります。生きているうちは誰からも評価されませんが、時代が進化し見る人が成熟すると価値がやっとわかる、というアレのことです。これが恐ろしいから、評論家は「この人はダメ」とはっきり言うことをためらうんですね。才能ナシ、と顔面に焼き印を押されたような人にもすべてを寛容に対処しておかないと、そいつがあとで評価されてしまったら、「あいつはあのときわかっていなかった」という罰が待っているからです。困ったことにその寛容さこそが「ユミコ」の増長を促してしまう。私はアーティストであると、鏡に映った顔の焼き印は無視して名乗ります。まあ本人には見えないのか。職業をアーティストとするならそれだけで食べていけなくてはなりませんけど、そんなアーティストはフランス人でもマレです。カフェで毎日バイトしながらアーティストの卵だとか言い張るんですが、ほとんどの場合は孵化する前に茶色いピータンになります。それも食べられないやつな。というかカフェで働いている時間の方が長いんだったら、職業はアーティストではなくてカフェ店員でしょうが。

これがアーティストとそうでない人の完全なる断絶です。150㎞／hのボールを投げているプロのピッチャーを見れば、自分にはそれができない、つまりプロ野球の投手にはなれないことが明らかなのに、アートには詭弁で誤魔化す隠し球のような方法がたくさんあるのでそれを利用することができます。過保護なのです。

昔、写真展で俺の写真を買ってくれた女性がいて、ギャラリーでほんの少しだけ話をしました。しばらくしてから、あの人はどんな人なんだろうと思ってブログを検索したら写真展当日の投稿が見つかりました。「わたしの何もない部屋を見渡すとあまりにも寂しい。役には立たないけど、それを見たらつまらない明日もやる気が出るような何かを買おうと思って東京に行った」と書かれていました。写真が家に届いた日のことも書いてありました。「気に入った写真を部屋に飾ったら、やっぱりいい気分だった。自分にとって決して安い金額ではなかったけれど、明日からは毎朝これを見て出かければ、仕事を頑張れると思った」

その人は昼間は普通の仕事、夜は時々アルバイトをしているらしいことがブログを読むとわかりました。写真展で写真なんかを買う人は、アート的な教養とそれなりの経済的な自由がある人だと俺は勝手に決めつけていました。数万円の小さな写真なら「価値あるモノを手に入れた」というより、気軽なインテリアグッズくらいの気分で買うんじゃないか、と俺は思っていたのです。それはあまりに傲慢すぎたことに気づきました。頭をハンマーヘッドシャークで殴られたような衝撃を受け、口の中に血と生臭い潮の味がしました。

13

75億人とカサブランカ

リアルに自分と関わる人の大切さは当然のこと、ヴァーチャルに関わっている人との関係もとても大事です。会ったこともない青森やダマスカスに住んでいる人と「おはよう」なんて言いあっている、昔ならあり得なかった毎日。脳なんて平安時代からさほど進化していないと思うんですけど、やっていることや処理すべき量は激変しています。このままで大丈夫なんでしょうか。いつかオーバーヒートしてしまうんじゃないでしょうか。

そうは言っても3日後に返歌を矢に結びつけて放ったりするような優雅な時代には戻れません。2分後にはメールにリプライをしていますし、朝のメールに返事をしないと午後には、「体調、大丈夫ですか」などと心配した電話がかかってきます。取り巻く状況につれて内容にも変化があらわれ、自分の家の周囲にいる村人以外の文化の違う膨大な人とコミュニケーションを取るスキルが必要になってきています。体験や関わる人の量が、人としてのポピュラリティを決めるのだと思っていますが、女優やモデルと話すとそれがよくわかります。何百万人から「あの人は美人だ」と決めつけられることによって、いつしかそれに応えるべく変化をしていくのです。

何百万部の本を売る作家やオリンピックに出るアスリートたちと自分は何が違うのか。人間は世に出てくる瞬間、約75億位《おくい》で生まれてきます。そして生きている間に世界の総人口中の順位をひとつでも上げることを考え続ける。それが向上心です。

会社員時代の後輩であり、尊敬する友人である平林勇監督の短編映画作品は、英国の映画批評家から「過去に作られた映画の中で価値ある数本」に選ばれています。ヒッチコックやゴダールも含めて、です。ですから「ボクはサッカーが巧い」などと言う人には「クリスチアーノ・ロナウドよりも、ですか」と素朴さを装って聞きたい。子どもの頃には親に褒められ、学校でクラスの友だちに褒められ、社会に出た途端、とてつもなく優秀な人の存在を初めて知って挫折する。だからできれば早いうちに世界最上位の人と出会い、自分などたいしたことはないのだとわかっておいた方がいいのです。俺はモラトリアム人間のまま55歳になってしまいましたが、このあたりで一念発起して「現状維持」と、声を中にして言いたい。植物の中で一番好きなのが「根無し草」なので、嫌なことから目を背けたまま、いい温度といい湿度の快適な場所で流れるままに生活していきたいと考えています。結論、おかしいですよね。

俺がモロッコのカサブランカに行ったときの話をしてもいいですか。読者に拒否権はありませんけど。

パリで撮影の仕事があって東京に帰るときのシャルル・ド・ゴール空港。真っ赤なサッカーユニフォームの男の子が搭乗口にたくさんいました。みんなとても可愛い。彼らの写真を撮っていると監督らしき人がやって来ました。怒られるのかと思ったらニコニコして話しかけてくる。監督はイシャムという人でした。モロッコチームは俺と同じ飛行機で日本に行き、静岡で行われる世界少年サッカー大会に参加するのだと言いました。東京に戻ってAltaVistaで検索してみると藤枝市で翌日に試合があることがわかったので、応援に行くことにしました。スタジアムにはドルトムント、ボカ・ジュニオールズなどのユースも来ていました。モロッコはカサブランカの「WYDAD」というチームのユースでした。

観客席から写真を撮っていたらイシャム監督に呼ばれたのでロッカールームに行き

ました。皆で床に座り、用意されていた幕の内弁当を食べながら空港で撮った写真を渡すとイシャムがとても喜んでくれて、ぜひカサブランカに遊びに来いと誘われました。「社交辞令じゃないんだからね」と念を押されました。そう言われたら行かないわけにはいかない。数ヶ月後にカサブランカに行きました。チームの少年たちと再会です。俺はホテルに泊まるからいいよ、と遠慮したのですが、どうしてもと言うのでイシャムの家に泊めてもらいました。彼はモロッコ人で、奥さんはフランス人。幼稚園と小学生のふたりの娘がいるのですが、彼女たちが成長したときに人種差別をしないように、選手など、あらゆる国の人、肌や瞳の色が違う人を家に呼んでいるのだと言います。素晴らしい教育だと思いました。俺はアジア人、日本人として彼女たちに恥ずかしくない振る舞いができているかな、と心配しながら。

俺がカサブランカで出会った子どもたちは、ほぼ例外なく数年後にはモロッコやヨーロッパチームのプロ選手になり、代表選手としてワールドカップに出ることでしょう。そういう環境にいる彼らが楽しそうに練習していた姿は忘れられません。趣味としてスポーツを楽しむことはいいんですが、その競技で勝ち続けること、世界的な順位を上げることを目指している一握りの人と会うことはとても価値のあることです。それが日本で報道されるときは「年俸数十億で入団」みたいな、ただただ下品な話になってしまうんですけど。

面白いから言っているだけであまり信用して欲しくはないんですけど、「ユニフォーム理論」と呼ばれる理論があります。俺と平林監督のふたりしか言っていませんが。たとえば、草野球でメンバーが足りなくて困っているとき、多摩川の河川敷を散歩している人に助っ人をお願いするとします。そのとき、あなたならどんな基準で人を選びますか。体格がいい、運動神経がよさそう、野球経験者だ、などの条件で選ぶでしょうけど、野球経験者かどうかは聞いてみないとわかりませんよね。

答えは「野球のユニフォームを着ている人」です。

その人が野球が嫌いなはずがない。もしかしたら試合の直後かもしれない。そういうことが見た目で一瞬にしてわかります。人に呼ばれる、求められるのは、まずはそういう「見え方」を意識するのが大事なんじゃないかということです。試合に出してみたら打てなかった、でもいいのです。呼ばれなければ、活躍も別役も実りません。多摩川でＰＲＡＤＡのスーツを着て歩いていたら絶対に声はかけられないでしょう。そんなエレガントな人を草野球に誘ったら迷惑に決まっていますから。その逆に、

「銀座でパーティがあるんだけど来ませんか」という場合はPRADAの人を選びます。野球のユニフォームのヤツを連れて行ったら、うすらバカかと思われる。結論は、もし何かの集団に認められたければ、そこにいる人の振る舞いを観察してそれに学べ、ということです。外見のことじゃなくて比喩ですけどね。

14　ビキニとオオトカゲ

俺は間違ってボルネオに行ったことがあります。ボルネオに行かないかと誘われて、行く行く、といつも通りのノリで答えたんですが、雑な俺は、出発直前まで行き先はボリビアだと勘違いしていました。誰かと話していて、「ボリビアに行くんですよ」と言うと、なんとなく南米の思い出を語られたりして話が食い違うので、おかしいな、俺が行くのは南米だっけ、とは思っていたんですけど。そんなわけで間違って何も知らないボルネオに行くことになりました。知らなさで言うとどっちも同じだからいいのです。

ボルネオ・コタキナバルのビーチリゾートには、3メートルくらいのオオトカゲが悠然と歩いていました。ただそれだけのことなんですけど、体験として見たか見ないかで言うと、確実に見た。ビキニ姿の女性たちがトロピカルドリンクを片手に微笑んでいるその後ろの砂浜にはオオトカゲが歩いているんです。なんなんだこのビジュアルは、と感じました。「人間の想像力は現実を超えていなくてはいけない」という、ロバートの口癖を思い出しました。その前提からすると俺はもうフィクションで、「ビキニの女性の隣にオオトカゲがいる光景」を描けないことになります。

こうして様々な体験をして多くの景色を見てしまうと、残念なことに無邪気な思いつきを話すことができなくなっていきます。反対にボルネオの子どもが江ノ島に行ったら、「なぜこのビーチにはオオトカゲがいないのだろう」と不思議に思うかもしれない。そんな面白い誤解が世界には山ほど存在しています。「今日何かを知ることはプラスではなく、昨日までマイナスだった恥をさらすことだ」とロバートは言います。だから自分の知識はできるだけ広く深くしたい。フランスに行ったこともないのにフランス人は英語を話さずにヘンクツだとか、イタリアに行ったこともないのにイタリア男は軟派だとか、アホの濃縮還元１００％みたいに恥ずかしい無知を、人前で晒さなくて済みます。

「ボク、海水浴場にオオトカゲがやって来るって映像のアイデアを思いついちゃったんですよ。天才だと思いませんか」と後輩に言われたら何と答えればいいんでしょうか。シンプルに、「見たことあるわ」でいいんでしょうか。もちろん俺もボルネオに行くまではそのアイデアをフリスク食べながら、口にしてしまうリスクを持っていたはずなんですよね。怖いですね。無知って本当に怖いんです。

海とかトカゲとか夕陽とか、４０９５メートルのキナバル山とか蟹の巣穴のデザインとかを見ていると、あまり人種とか国籍みたいなものはどうでもよくなる、というか感じなくなります。昔パリで１ヶ月くらいフランス語を聞いていたとき、アメリカ人に英語で話しかけられて「よかった、日本語だ」と思った経験があります。フランス語があまりにもわからなすぎて、ちょっと馴染みがある英語が母国語に聞こえたのです。人間の感覚なんてそれほど鈍感で根拠がなく相対的なものだと思っています。なぜそんなことを書くかと言えば、たとえばＳＮＳで「韓国」とたった一言書いただけで、韓国は嫌いだ、彼らはダメだ、というようなコメントが内容にかかわらずついてしまうからです。写真で言えば、どんな人でもどんなモノでも同じように撮ることにしています。写真に写っているすべてを美しいモノと肯定している。攻撃したり傷つけたり揶揄したり皮肉ったりしなくても写真は撮れる。嫌いなモノにはわざわざレンズを向けないでしょう。戦場の悲惨な写真だって、美しい世界が傷つけられた悲しみと、それが知られることでまた平和が戻って来ることを願って撮られている。不幸のために撮るのは探偵の浮気の現場写真だけです。綺麗だと思うから撮る。楽しいと思うから撮る。その純粋な感覚があれば、写真は世界の美しさを発見するための行為になります。コタキナバルでの日記がありました。

コタキナバルの日記

朝起きて散歩。気温は高いのに湿度をそれほど感じなくて気持ちがいい。またあの家族食堂に行ってみた。数日前に来た、大家族がやっている陽気な食堂だ。今日は長男、長女、次女、三女が働いていた。お腹はすいていなかったのでレモンジュースだけ飲む。自発的に「レモンジュース」なんか頼むはずもなく、メニューの中で読めたのがそれだけだった。客は少なくヒマなようで、お母さんと娘たちは入り口近くのテーブルに座ってずっと話をしていた。平和な風景。美しい笑顔。何枚か写真を撮る。照れる女子たち。

昨日の夜は、夫婦の店に行った。新宿と横浜で3年間暮らしたことがあるという70代くらいの夫婦が、ほんの少しの日本語とともに美味しい料理を出してくれた。にこやかな夫婦の写真を数枚だけ撮る。ナシゴレンとパッタイを頼んだが、バンコクやバリ島などの経験と比較しても過去最高に美味しかった。感激の味と言っても過言ではない。これが日光だったら「過言の滝」と言って無駄に興奮していたはずだ。明日から海辺のリゾートホテルに移動してしまうので、街での最後のランチはもう一度ここに来ようとしていたんだけど、今日、店は幻のように消えていた。

店自体はあったのだ。しかしそこは「一軒の店」ではなく、倉庫のようなスペースをいくつかの屋台のような店がシェアしている場所らしかった。昨日の夫婦はいない。仕方なく中身の入れ替わった店でパッタイを食べてみる。最初にこれを食べたら十分に美味しいと思えるちゃんとした味だったんだけど、どうしても昨日の夫婦の料理と比較してしまう。無念だ。

何年かしたらコタキナバルの「家族食堂」と「幻の食堂」にプリントした写真を持って来てみよう。長女は赤ちゃんをおぶって働いているかもしれない。自分が来たことのある場所が変わらずにそこにあって、同じ人がいて、知らない人も増えて、いたはずの誰かがいなくなってしまうこともあって、時間が過ぎたことが少し感じられる、そういうのが旅らしくて好きだ。そのときに昔撮った写真があると最高なんだ。

街中のホテルからリゾートホテルに移動。タクシーでたった15分くらいだけど様相は一変する。欧米人観光客が多いプールサイドで2時間ほど寝る。部屋がエグゼクティブ・フロアなので専用のラウンジがあって、そこで簡単に夕食をとる。雑然とした昨日までとは正反対の風景だけど、俺は庶民的な下町情緒を楽しみに来ているわけじゃなく、ゴージャスなリゾートを求めているわけでもない。とにかく上から下まで、何でも水平に見つめていたい。カメラは上に向けても下に向けても恣意的になる。「貧しい人は可哀相だなあ」と下に向けたレンズは傍観的で傲慢になる。「フィレンツェはシャレオツだなあ」と憧れて上を向けたレンズには何も写らない。自分が手にするカメラには角度がついていてはいけない、いつでも誰のことでも、視線を揃えて水平に見るのだ、と決めている。

街からリゾートに移って、撮る枚数が激減した。ホテルは当然のごとくビーチとプールがメインだから写真を撮るのも気を遣う。プールサイドのテーブルにいた巨大アリを撮っていたらその奥で水着の女性がじっとこっちを見て警戒していたりして、なかなか難しい。やはり街はいい。情報量が多すぎて頭が痛くなりそうだったけど、人は優しく、台北やハノイなどの街によく似たムードだった。まだまだ行ったことがない場所はたくさんある。とにかくどこにでも行って何でも撮って、俺のＨＤＤに「東武ワールドスクウェア」みたいなせせこましい世界を作ろう。実際に俺が足を運んだ場所しか入ってないけどな。「鶏肉と豚肉は食べたことがあるんですけど、牛肉はまだ一度も食べたことないです」って人とグルメの話をするのは不可能だろう。経験と体験は多い方がいい。ここは休暇と割り切って、プールサイドで寝ることにした。サンオイルを塗り、巨大アリや、近くにあるモノを軽く撮る。このあたりになると渋谷が撮りたくなるんだよね。俺の毎日は、その繰り返しなんだよ。

UFFICIO FILATELICO

REPUBBLICA DI SAN M

15　ソーシャルとメディア

「対話による哲学を生むための素晴らしいプラットフォームにもなれたはずだが、不用意な一言がネガティブにずっと残ってしまうからソーシャルメディアは怖い」と、ロバートは言います。有史以来、会ったことがない無関係な人を攻撃することがあったでしょうか。なぜ人は攻撃するんでしょう。SNSがもたらしたいいことだってある、というのも実感としてわかります。

俺も中学校時代の初恋の人である三浦さんと出会えた幸運には感謝しています。三浦さんは10代の頃にアメリカに留学してしまい、その後は連絡が取れませんでした。たまたま最近になって検索し、Facebookで見つけられたのは、アメリカ人の旦那さんと結婚されていて苗字が昔のままだったからです。彼女のページで何も変わらない面影の三浦さんに写真で再会できましたが、驚いたのはそこからです。高校生のお嬢さんが、俺が知っていた当時の三浦さんの姿とまったく同じだったのです。まさにタイムトリップ。まだ三浦さんにはお目にかかっていませんが、お嬢さんとはアルバイト先で会うことができました。初恋の人とそっくりな女性がほぼ同じ年齢で目の前に立っていました。そして俺だけがメタボリックにハゲ切っているのです。時間って残酷ですね。あまりにも緊張してほんの少ししか話せませんでしたが、とても素晴らしい再会でした。

これはいい例として。世界には様々な考えや立場や趣味を持つ人がいます。SNSはそれをスパッと切り分ける作業であり、コミュニケーションの輪切りのようなモノです。バウムクーヘンが食べたくなりましたが、人々を切り分けているのは、出身や仕事などが書かれたデータの項目ではなくて、気軽なひとつひとつの発言にあります。違う考えと出会い、何かを気づかせてくれることがあればSNSには価値があるし、幸福です（あとで書きますけど、それを「気づき」と言わないで欲しい）。この際ですから、ロバートにソーシャルメディアにおいて気をつけるべき具体的なポイントをいくつか教えてもらいましょう。

「足さない」

初心者ほどこれを守れない人が多いです。初心者とは、「過去に自分の言動で痛い目に遭ったことがない人」のことです。たとえば俳優のヤマダシュウゾウさんが温泉旅行に行ったと書きます。いいですね。旅行ですか。綺麗な風景ですね。などと友人が次々にコメントを書きます。これはいい。でも「私、5年前、そこの隣町に行きました」などと書く人がいます。これはどんな表情で受けとめればいいのでしょう。ヤマダさんの旅行と、その人の5年前の隣町とは何も関係ないと思うんですが、なぜ誰にとっても興味のない個人的な思い出を足してくるんでしょうか。

「接点を探さない」

それと地続きなのがこれです。「5年前のあなたの隣町への旅は、接点ではない」と気づかない人は、さらにぶち込んできます。ヤマダさんが泊まった温泉旅館の写真を見て、「私の友だちのお兄さんがよくその旅館に行くと言ってました」などと書き込みます。その人の友だちのお兄さんって、ヤマダさんからしたら完全に無関係ですよね。これを言い始めたらもう誰でもいいことになる。知らないポーランド人の結婚式くらい心の距離が遠いです。

「暴かない」

で、ヤマダさんが「知人と食事しています」と書きます。勘のいい人ならもうわかりますね。たくさんの人が見ている場なので、ヤマダさんは誰とどこの温泉にいるかまでは言わないようにしている。さらにヤマダさんは俳優ですからその辺も微妙です。本人が書いているところまでが書ける限度なので、そのキワキワは周囲が優しく察してあげないといけません。でも、ある人が鬼の首でも取ったように書き込みます。「あ、そこ、函館の箱縦旅館ですよね。内装ですぐにわかりましたよ。シェフが石川さんから変わってから料理はイマイチですけどね。もしかして札幌のチエコさんとご一緒ですか。美人と温泉とは、ヒロノブさん、ニクイなあ。チエコさんによろしくお伝えください」もう絶望的ですね。あまり個人的なことを詮索しないで欲しいし、チエコさんに何をよろしくお伝えしたいんでしょう。伝えたいならお前が直接来て言え、と思います。それに本名を伏せて芸名で活動しているヤマダシュウゾウさんを同級生か何か知りませんけど、ヒロノブと本名で呼んでしまっている。これ、芸能人の知人に多いんですが、過去に接点があったと主張したがる人がやりがちなことで、完全にアウトです。

「追い越さない」

これはやや上級者編で毛色が違うんですが、誰かが書いた投稿の感情をグイグイ追い越す人がいますね。知識浴びせたがりというか。たとえばヤマダさんが家族と娘のことを書いたとします。「あのー、ボクがいつも思うのは、家族というのはひとつの国のようなものだと思うんですよ。形而上学的な意味でね。哲学科にいた頃、フランシス・ベーコンが書いた本を読みましたが、人を愛したら賢いままでいることは不可能になる、って彼は言ってるんですよね。これを読むとよくわかると思います（ベーコンの本のアマゾンリンクまで貼って）」と際限なく、聞かれてもいない自分が言いたいことを書く。他人のコメント欄に自分の意見を自信満々かつ長々と書く人は、たいてい定年近辺のおっさんか、カルチャー系のおばはんだとロバートが言っていました。ヤマダさんはただ自分の娘の七五三の写真をアップしたかっただけなのに、フランシス・ベーコンまで持ち出されて、もうわけがわかりません。でもファン商売なので、「ベーコン、読んでみますね」なんて明るく答えたりして。

本当はもっとあるんですけど、ロバートが調子に乗って話し出すとむやみに敵を増やす可能性があるのでこのあたりでやめておきます。ちなみに日本ではSNSと言いますが、アメリカでは「ソーシャルメディア」と言いますね。豆知識。

16　ガラパゴスと世界のサカモト

たとえばパリで知らない人たちと仲良くなる。そこにケルンやブリュッセルの人がいたとする。楽しい時間を過ごしたあとに彼らは屈託なくこう言います。「また来週、同じメンバーで集まろうよ」と。彼らは問題なくまた週末に集まれるけれど、帰国してしまったら俺だけが無理。こういう場面で、距離のディスタンスと精神のスピリットが東京だけ孤立しているよなあと感じます。「じゃあ欧州の中心に移住して、愛でも何でも叫べばいいじゃん」と、地獄の季節じみたことを乱暴に言われることがあるんですが、それは話が違う、違いすぎる。彼らは自分が生まれ育った街を捨てることなく、移動の自由なシェンゲンを宣言することができるのです。

島国であるという立地はそれほど重要ではなく、アジア全域が際立った独自の商業圏と文化圏をEU並みに作れなかったことの方が大きく関係しています。アメリカは一国で巨大な地産地消文化圏を形成しているからまた事情が違うんですけど、ブリュッセルやパリと同じように数時間しかかからない距離にあるのに、東京とソウル、上海、台北とは文化的にリンクしていない。ここなんですよね。アジアに確固とした文化圏があれば、「来週は俺、ブリュッセルに帰っちゃうんだよ。悔しいなあ」と彼らの方が距離のディスタンスに泣くはずなのです。

日本がガラパゴスだと言われるのにはふたつの理由があるとロバートは言います。ひとつは数千年の歴史を持つ偉大な国であるというテッカテカのプライド、もうひとつはその威厳を失い、国際的にレベルの低い国に成り下がった現実を突きつけられているスッカスカの劣等感です。特に最近は顕著ですが、「我々日本人は素晴らしい民族だ」という国粋主義的な論調を人々は好みます。錦織圭さんや大坂なおみさんが活躍すれば日本人の誇りだという。ふたりともほぼ日本でテニスを学んでいませんけど、そこは都合よく見ないふりをします。坂本龍一さんや北野武監督が国際的な音楽賞や映画賞をもらうと、「世界のサカモト」「世界のキタノ」と呼ぶ。これはどういうことでしょう。最初にアメリカやヨーロッパの基準に日本人は歯が立たないのだ、という劣等感の前提を持っているからではありませんか。そこで権威ある賞をもらうと、日本人全体、もっと言えば自分までが褒められた気がして、うれしくてたまらないのです。相撲で言う、下の者が上の者を倒す番狂わせである「金星」に感じるのでしょう。

サカモトさんもキタノさんも大谷翔平さんも自分がすべきことをしている横綱ですから、世界に対してそんな劣等感はないはずなのに。まず出発点からして大きく間違っていますよね。

たとえスピルバーグ監督がヨーロッパで映画賞をもらっても、アメリカ人は「世界のスピルバーグ」とは言いません。最初から世界という土俵で戦っているし、元々スピルバーグを始めとしたハリウッドが、アメリカ以外の外国に劣等感など持っていないからです。成熟したヨーロッパとは違ってやや軽率な部分もありますが、ブッシュやトランプが暴走すればマイケル・ムーアの知性が批判する。そのバランスのいい振れ幅の大きさがアメリカのすごいところであり、「世界の軽率」と呼ばれる理由なのでしょう。

ちなみに「コンプレックス」という言葉を「劣等感」という意味で使う人がいますけど、コンプレックスは抑圧された意識下の感情複合という心理学用語ですから、劣等感はコンプレックスの中のほんの一部分を指しています。だから優越感もコンプレックスになります。映画館が集まった複合施設は「シネマ・コンプレックス」と言いますよね。

武士は刀を持ち、町人は持たない。こういうルールはもう存在していません。今は誰もが同じ銃刀法という新しい規則を守ることになっています。共同体が持っているガラパゴス的なルールは信じる土台を失って変化するとき、過去それに従っていた自分を滑稽に感じてしまうという厄介な代物でもあります。戦後の日本もそれとまったく同じでした。それを共同体に属していた当人が教科書の墨塗りのように、なかったこととして言ってみせるのはなかなか困難ですから、テリトリーの外にいる外国人が評価すると明確になるんですね。批判でも、賞賛でも。

「武士の命」とまで言われた刀を取り上げられたサムライ。しかし時間が経つとどんなことでも慣れてしまいます。彼らは刀がなくても命は失っていなかったようだし、No Katana, No Life. ではありませんでした。順応性の高い日本人は何事もなかったかのように明治時代になって見よう見まねで洋服を着るようになり、数千年の伝統ある自分たちの服をいつしか「和服」と他人行儀に呼ぶようになりました。それまでずっと食べてきたものを「和食」と呼び、インド料理と同列な存在として並べます。アメリカでタコスを食べるときは「メキシカン・フード」の店に行きます。でもアメリカン・フードという名前の店はどこにもない。フランス料理だって、フランス以外の国の人が呼ぶ名前であって、フランス人が誇り高い自国の料理を「フレンチ」と言うようなハレンチなことは決してありません。

話はそれますが、日本人は日常でほとんど使わないのに外国人が使う言葉があります。「本州」がそのひとつです。外国人から「今度、ワタシ、本州に行きます」と言われたときの、何とも言えないあの違和感。内側から規定する、という話で言えば、俺たちは自分が今、本州にいると自覚することは皆無です。「北海道に行く」「九州と四国に行く」東京の俺たちはそう言いますけど、北海道や九州の人は、俺たちの本州のように、あまり言わないのかな。内地、なんて言い方もありますけど。しかし『俺たちの本州』って言いぐさは何ですかね。中村雅俊さん主演の新しいドラマが作れそうです。

しかし、どうして日本人はこんなに自国の文化に対して「奇妙な傍観者」になれるのでしょうか。ポルトガルに行って驚いたことがあります。レストランはすべてと言っていいほどポルトガル料理の店だけなのです。日本で言うと全部が和食屋で、イタリアンもフレンチも中華も韓国料理もベトナム料理も一切なしです。どうしてあなたたちはポルトガル料理しか食べないのか、と現地の人に聞くと、「別に外国の料理を食べる必要はないでしょ」と教えてくれました。彼らは生まれてから死ぬまで、同じメニューのポルトガル料理だけを食べ続けているのです。そういう国は、割と多くあるようです。リスボンで人間不信になるほど美味しくないインド人経営のイタリアンには一度だけ行きました。ポルトガル料理ばかり食べ続けて、魔が差したのです。「もし外国料理の店を見つけても、絶対に行くな」という地元の人の助言を無視したことを、半ベソで後悔しました。大昔の給食のソフト麺のような、パスタに似た形状のモノを食べながら。

17　古民家カフェと干し柿

ピカピカのコンクリートの壁などを写真に撮るのは難しいものですが、古民家の崩れかけた土壁を撮ると誰でも「絵になる写真」が撮れます。しかしそれは撮った人の手柄ではありません。ただ絵になったように感じているだけです。土壁が背負ってきた時代の重さのように、すべてをノスタルジーという価値観に頼るのは安易で、廃墟ブームや古民家ブームなんていうのはまさにこれだと思っています。なぜか、「古いモノを理解し、愛している私は心が優しい」みたいに思いたがる、カルトなホッコリ集団がいますね。おばあちゃんの服をワンピースにリメイクして着ていたり、親子揃って前髪パッツン、むやみに木に抱きつき、マクドナルドは危険だと言う、もちろん環境問題などに関して、正しく地道な活動をしている人のことは尊敬しています。しかし受け売りのファッショントークでガワのガワだけ言う人は恐ろしいとロバートが悪口を言うので、あまりそういうことを言うのはよくないよ、と俺はたしなめています。「心の時代」などというアホのブイヤベースみたいな言葉もよく聞きますけど、心がない時代なんて有史以来ありませんよ。心のことをことさら言いたいバカっぽい時代、なら納得できますけど。これはキッチリ俺が言っています。

SNSで書くのに適していない話題で、ロバート・ツルッパゲ本にどうしても盛り込みたいと思っていた内容が「田舎くささ」について、でした。ネットでは通りすがりの人に文章を切り取られ解釈されて誤解を生みますけど、本になっていれば大丈夫でしょう。悪口を言いたがる人はお金を払ってまでは言わないものです。無料のコンテンツに対してだけ匿名で言います。「田舎くさい」というのは、もちろん牛を育ててるとか、自転車で通学する生徒が黄色いヘルメットをかぶってるとか、カメムシが異常に多いとかではなく、その人が思い描いている「エスタブリッシュメント」「都会っぽさ」「オシャレ感」「権威」と、現実とのズレのこと。だから東京生まれだろうがニューヨーク生まれだろうが、手応えのある田舎くさい人はいます。

上京した人に「東京にはオシャレに住まなくちゃいけないという強迫観念がある」と聞いたことがあります。誰でもひとり暮らしを始めるときには親から与えられた環境をリセットできるので、ちょっと家具なんかは張り切って選ぶものですけど、地方から東京へという場合の本気度は劇的に違うそうです。田舎っぽい人が作り出した

「東京」というのは幻想ですから、もともと東京の人はオシャレなんかじゃありません。人口の絶対数が大きいし、外からオシャレ道場破りに来ている人もいますから「オシャレだな」と思う人は多く見かけますけど、ダサい人の数も膨大です。東京には品のいい店や高級住宅地だけがあると思っているとしたら大間違いで、それは外の人が勝手に作ったイメージの世界です。俺は以前、「パリのダサい洋品店」だけ集めた写真集でも作ってやろうかなと思ったことがあります。フランスにはディオールやシャネルなどのファッション・チョモランマがそびえ立ってはいますけど、裾野であるパリの下町には巣鴨っぽい埃だらけの洋品店も立派にあります。当たり前です。FIGARO japonに特集されないから知らないだけです。東京はオシャレであるというとてつもなく雑なファンタジーとELLE DECORを小脇に抱えて、人々は上京してくるのです。そして借りたアパートが北千住なら、周囲を見回して、「おいおい東京。お前、話が違うだろう」となるのは容易に想像がつきます。北千住や南千住や小菅《こすげ》の住人からしてみたら「知らねえよ」と言いたくなるでしょう。

俺が20代の頃、ある友人女性の家に行きました。部屋は生活感がない無機質なモノトーンで統一され、カッシーナらしき家具が綺麗に並んでいました。「ビデオ観ようか」と言われ、画面に映ったのは『ダウン・バイ・ロウ』でした。どこの出身だったか忘れましたけど、これが彼女が田舎にいた頃に思い描いていた東京の生活だったのだと思います。彼女が飲み物を買ってくると言って外に出かけ、俺はひとりで部屋に残されました。キッチンの隅に宅配便の段ボールが置いてあるのが見えます。それは実家からのようでした。上にかかっていたランチョンマットみたいなものをめくって伝票をチラッと見ると「干し柿など」と書かれていました。

このことはよく憶えています。戻ってきた彼女は、もちろん「干し柿など」のことには一切触れず、ベッドに寝転がって、テレビに映るジョン・ルーリーの顔をアンニュイな顔で見ていました。イタリアン・モダンの部屋に干し柿は似合わないと思っていたのでしょう。本当はそうでもないんだけど彼女はそう思っていた。だから段ボール箱にランチョンマットをかぶせていたのです。その気持ちは俺にも痛くない程度にはわかります。

反対の例として、田舎から送ってきた野菜や果物などをいつも分けてくれる女性がいます。「うちの田舎はこれがすごく美味しいんだよ、スーパーで売っているものなんか食べられない」と地元の名産品を誇らしげに言う。これはとても美しいことだと感じています。都会で生活するということが自分が生まれ育った場所の否定である必要はないと思うんですけど、それは俺が上京したことがないからで、本当の実感は持てません。

また、東京にある古民家カフェに勤めている若い女性がいました。彼女が帰省したとき、母親が、「あなた、東京で何をしてるの」とたずねます。彼女は、「テレビや雑誌にも取材されたことがある、すごくオシャレな古民家カフェで働いてる」と自信満々に答えましたが、母親は部屋の中を半笑いで見渡しながら、「あなたはこの古民家で暮らす生活がイヤで東京に行ったんじゃないの」と、ナイスな返しをしたそうです。素晴らしいお母さんだと思います。

家具のショールームに行くと、広々としたソファ、チェア、テーブルなど、すべてが完璧な配置になっている。日本人としては「そんなはずねえだろ」と思うんですけど、外国に行くと普通にそういう家があります。これってもうどうしようもないんですけど、その美しさは貧しく下世話な混沌から抜け出したいという第1段階の欲求です。本当にインテリアのセンスがある人は、同じテイスト、同じブランドの家具でシンプルに統一したりしないものです。それは洋服屋さんでマネキンが着ているものを上から下まで全部買う人みたいで格好悪い。統一する、整理する、というのはとても簡単なことで、第2段階目には「混沌のコントロール」が待っているのです。マンハッタンの街並みは銀座や京都のようにグリッドになっていますよね。あの碁盤型の整理方法は美しいんですけど、無機質にもなります。それを無視してナナメにブロードウェイが走っていることで、街が初めて生き生きして見える。これは図面上の考えだけでは作れない感覚的な傑作です。ちなみにマンハッタンが今のような高層ビルで覆われることを1850年代から予測していた人々がいて、セントラルパークは手つかずの場所として中心に残す都市計画をされました。先が見えているってすごいことですよね。

もしかしたらパリやロンドンに行くときの気分は「俺の上京」なのかもしれないなあと思うことがあります。雑誌やテレビでしか見たことがなかったものを自分の目で見る感覚。だからと言って世界のド田舎である日本が100%ダメだとか、劣っているなんてまったく思いません。マドンナが家族の健康のために莫大な金額を払っているマクロビオティックの食事は、江戸時代の貧しい農民が食べていたメニューによく似ていますが、これは皮肉としか言いようがありません。知らないもの、知識がないものの価値を理解するのは困難です。ですからできるだけ自分の感覚だけで善し悪しを決める習慣をつけなければいけません。他人が持っているモノを羨ましがらず、自分の足りなさを卑下しない。俺は、外国人が家に来たら、「これは干し柿っていう日本の食べ物で、すごく美味しいんだよ」と言いたいわけです。対等にね。

18 ムクドリとワゴンR

友人の落語家、立川談慶師匠によると、「田舎者とは出身ではなくて、了見」というのが立川談志師匠の言葉だそうで、これは全面的に賛成できる意見です。

了見というのは最近あまり使われない言葉ですが、生き方の心得や倫理観に近いものでしょうか。昔は「そういう了見だと大人になってから困るぞ」と、クソガキがおっさんに言われていました。哲学や宗教とも関わってきます。で、その個人の横暴な了見が明らかに他人の平和を侵害するとき、冷ややかに「田舎者」と言われてしまうのです。田舎の対義語としての都会とは、大勢の人がスクランブル交差点でぶつからないように歩くテクニックが必要とされる場所だということです。

落語の世界では、寄席に茶色い着物を着たピーチクパーチクうるさい団体客が来ると、「ムクドリだ」と言ったそうです。田舎者をあらわす符牒です。地方のナンバーをつけたクルマが交通量の多い駅前に車を無神経に停めている。どうやったらこんな停め方ができるんだろうと我々からすると不思議に思うんですけど、いつも誰も通らない農道に停めているなら想像力が働かないだろうから仕方がない。で、フッサフサ・フェイクファーのダッシュボードに椰子の木がはえたワゴンRを、六本木交差点のアマンド前に停めてしまうのでしょう。

クレーンゲームで取ったぬいぐるみ、「赤ちゃんと酔っぱらいが乗っています」という冷え冷えとするギャグのステッカーもすべてひっくるめて、「ムクドリが」と言われることになる。でも、田舎者が悪くて都会人が正しいってことじゃないんです。初めて訪れた場所で他人はどう行動しているのかという少しの観察力があれば、たとえ外国から来た、文化が違う人でもそれほど場違いな行動をせずに済みます。「俺っちがいつも地元でやってるようにやって、何が悪い」と、違うコミュニティにお邪魔するときの敬意を持てないからいけないのです。そもそも理由なく人が多い場所に来たがるのが田舎者です。テレビで流行っていると聞いたから、有名だから、もうこれを聞くとウンザリします。自分が興味を持つ対象という根拠が何もなくて、テレビで人気タレントが紹介していた、がすべてになっている。

彼らは東京にやってきて、「来てみたけど、さっぱり面白くねえな」とか言います。こちらはきみらの思ったような環境を用意して「どうぞ見に来てください」と待ってるわけじゃないんです。勝手に来てるんじゃないですか。でね。ついに言っちゃいますけど、デザインとかそういうのに憧れてる野郎どもにも「了見としての田舎者」がかなり多いんですよ。これ、何度も言いますが出身地は関係ないですよ。デザインとかアートって、ムクドリを引きつけやすいんです。あのニューヨークで話題のコーヒーショップが、とか、今ミラノで流行のコスメがついに東京でも、とかいうのは受け手が騙されればいいだけの話なんですが、マスメディアに関わる立場の「了見の田舎者たち」が心からそれをお洒落だと思って喧伝して、それをテレビで見た本格的なワゴンRが確かめに来る。田舎者感覚で田舎者が好きそうなモノを選んで勧めるんだから刺さるに決まっています。「アンダーズで泡です」「やー、みっちゃん、オシャンティ」「ミシュランのお店でーす」「セレブやねー、みっちゃん」もう勘弁してくださ い。学校給食を意地汚くおかわりしていた「みっちゃん」が無理してそんなことしなくていいんです。

黒木靖夫さんというお洒落な人がいました。SONYのロゴマークや「プロフィール」という伝説的なモニタ、「ウォークマン」などを生み出した、SONYの優秀なデザイナーです。俺が黒木さんにお目にかかったとき、まず時計に目が行きました。ペラペラのプラスチックでできたスウォッチのように見えました。もちろん功成り名遂げた方ですから高級な時計をしていてもいいはずなんですけど、俺が不思議そうな顔で見ていたのに気づかれたのでしょう。黒木さんは、「この時計はさ、空港の金属探知機のゲートがあるだろ。あそこをつけたまま通れるんだよ。急いでるときなんかすごく便利なんだよ」と教えてくれました。ソニーの取締役やソニー企業の社長までされていた人だから高級時計をしているのではないかと思った貧乏くさい自分。穴があったら、きちんと埋めて平地に戻したいくらいの恥ずかしさでした。

育ちがいいとか、エレガントというのは、こういうことだと教えられた気がしました。よく急にお金持ちになった人が六本木ヒルズに住んだり、フェラーリを買ったり、妙なグラビアアイドルとつきあったりしますけど、これは貧しかった頃に手に入れたかった「貧乏の復讐」なんですね。それが誰に対する復讐かと言えば、それを買えなかった過去の自分です。おい、俺はついにこんなモノが買えるようになったぞ、と昔の自分に言いたいわけです。そして貧しかったときに想像していた「お金持ち像」には経験という情報量が圧倒的に不足していますから、いくつかの典型的なブランドを手に入れたあとにはもうお金の使い道がわからなくなるのです。黒木さんの自宅にはもしかしたら一戸建てが買えるくらいの値段の時計もあったかもしれません。でもお茶目な笑顔で、これが便利なんだよ、と子どものような顔で言う。モノの価値は値段ではありませんでした。

19　お金と倍数

俺がまだ20代の駆け出しデザイナーの頃、日本とイギリスの企業が主催したデザインコンペティションに応募したことがあります。自慢ではありませんが、なんていうのか、一番いい賞とでもいうんでしょうか、何といったかな。たしかグランプリというのをいただきました。応募した大勢の中で俺のデザインが一番優れていたと思われただけの話なので、決して自慢とかそういうのではないんですが。

冗談はさておき、その賞の審査員をされていたのが黒木さんでした。審査委員長の浅葉克己さんから、「今の時代はこういう変なのを選ばなくちゃダメなんだよ、と黒木さんから言われた」と、あとで伺いました。この賞は、自分にとってとても大きな転機になりました。ロンドンのコベントガーデンのギャラリーで展覧会を開いてもらい、浅葉さんたちとイギリスとスコットランドを旅することができました。

そこで泊まったマナーハウスでのこと。領主や貴族の館をホテルに改装したものがよくありますが、それがマナーハウスです。まだほとんど外国に行ったことがなくヨーロッパは初めてだったので、見るモノすべてが驚きだったことを憶えています。中でも泊まった部屋のトイレのことだけは忘れません。10畳くらいあるのです。当時俺が住んでいた中目黒のワンルームより広い。俺はトイレより狭い場所に家賃を払って暮らしていたのかとゲンナリしました。部屋の一番奥の壁に便器があって、遙か向こうにドアがある。俺ひとりの部屋ですから誰も来るはずはないんですけど、ドアに手が届かない状態での排便というのはとても不安だということに気づきました。食事のときに現地の人にその話をして、「こんなにたくさん部屋がある貴族の家というのはさすがにすごいですね」と言うと、「いや、この建物はロンドンの貴族がキツネ狩りに来たときに休憩でお茶を飲むためだけに建てられた場所です」と言われ、中目黒のワンルームに住む俺は、心が折れました。インテリアの雰囲気から言えば、ロココも折れましたね。

若い頃からそういう貴重な経験をさせてもらったことが、今の自分の生活に大きく影響しています。どんなものでも本物や、想像を遙かに超えるものを見ないとわからない。それを手に入れたり買い集めるためにお金持ちになりたいとは思わないんですが、我々は表現する仕事ですから、ファミレスでばかり食事をしていたら貴族の晩餐会を映像にすることはできません。いわゆる成金と呼ばれる人のお金の使い方を面白がってヤユするのは簡単ですが、それには意味がなく、自分がその当事者だったら何をするかを明確にしておくことだけが大事なのです。

皆さんは、お金持ちになりたいですか。この頃多いのは起業家になりたいという若者なんですが、聞いてみると野球の練習は嫌いだからやりたくないけど、ヒーローインタビューを受けてみたい、みたいにクソ図々しい話が多いです。世の中の多くの人がお金持ちになりたいと思っているようですが、ではいくらあったら満足ですかと聞くと、一様に「わからない」という答えが返ってきます。その理由は、現状（持っているモノ）と、欲求（欲しいモノ）の差を具体的な「倍率」で考えたことがないからなんですよね。ルイス・ブロックが言ったように、経済学の「欲求の倍数理論」という考え方では、現状を「1」として、自分が求める理想がその何倍になっているのかを具体的に試算できれば、単なる願望ではない正確な設定値への課題が見えてきます。ごく簡単な例をあげてみましょう。

皆さんの毎日のランチはいくらくらいですか。ある銀行が調べたサラリーマンの昼食代の平均は５８７円だそうです。まあ６００円ってところです。本格的なレストランのランチが２４００円だと仮定すると、６００円と２４００円で値段は４倍です。２４００円のランチってかなり豪勢な感じがしますね。そしてここが興味深いところなんですけど、６００円と２４００円では明らかにステージが違うのに、２４００円と３０００円のランチには微妙な食材の違いくらいしかないのです。つまりこの試算では、「増やすのは現状の４倍で十分、５倍すら必要ないでしょ」ってことがわかります。ＳＮＳで「あの人は毎日豪華な食事をしているな」と感じていた人も、もしかしたらあなたの４倍程度だったのかもしれない。抽象的に「贅沢な生活がしたい」と思っている人が設定できていないのが、現状との正確な「倍率」なのです。俺たちのようなフリーランスは給料とは違うので、受ける仕事の量を倍にして、単価を倍にすることを考えます。単純にそれができたら収入は４倍になる。頑張ればできそうです。それを目的にした行動をすれば、ですが。給料はなかなか４倍にはなりませんよね。「社長、来月から給料を４倍にしてください」「よっしゃ、わかった」という経営者はあまりいないと思います。

　漠然と、いい家に住み高級な服を着て高いクルマに乗っている人を羨む人がいますけど、ただ高価だと思わずに比率で考えてみます。また、いいものと安っぽいものとの間には連続したグラデーションではなく「スレッショルド」というのがあります。ある一点で質がガラッと変わる「しきい値《ち》」のことです。自分が普段接しているモノより数倍のモノに関する知識や体験がまったくないと、それが肉体で実感できません。知らないモノについて語ることはできませんよね。実際にライオンを見たことがなければ、「ライオンって、猫の大きいやつでしょ」という、詳しく知っている人からすればきわめて恥ずかしく幼稚な想像になってしまいます。たとえば「4倍」というのが自分が実感し想定できる目標であることがわかると、今度は、慌ただしい立ち食いなどの店ではなく、ゆったりとした食事の時間を取れる店に行けるかどうかという、自分の日常生活や仕事のスタイルに関係してくる別の状況にも気づいてきます。

目標が4倍であるのなら30倍のチカラを使う意味はありません。「イーロン・マスクみたいに何千億円も稼ぎたいんです」という夢を語るのは自由ですけど、彼のビジネス本を読んで無限の欲望に鼻息を荒くしているだけの人は今の収入を倍にすることさえできないでしょう。結果としてそこに残るのは、あなたのただでさえ少ないお小遣いが減って、イーロン・マスクにとってはハナクソくらいの印税が入っただけです。まずは今、自分が手にしている「1」を正確に把握すること、それを4倍にするためには何が必要かを学んで見極めるのが重要です。現在の自分と比較して圧倒的な差が必要だと思っていたはずなのに、実は収入を5倍にする必要すらなく、4倍でも十分なのだとわかりました。これが「4倍理論」です。もちろん収入で税率などが変わってきますけどおおざっぱにいうと、です。テレビ番組などでタレントが超一流レストランの食事を前に、5万円だ10万円だ、ワインは80万円だとかいうのを見ることがありますよね。でもそれを日常的に食べ続けることは現実的ではないし、スレッショルドを超えているので、価格に比例して満足感が桁違いになっていくとも言えません。ここが理解できるかどうかが経験とともに得られる皮膚感覚です。

ただ単価を上げるために金箔だの山盛りの白トリュフだのと、派手な食材を下品に使ってみせるゴージャスさは、それを求めてありがたがる貧乏くさくて田舎っぽい了見の人のためです。企業の接待などで、奢る側がより多くお金を出したことをアピールして見せたい虚栄心のためにもそれらはあります。誠実に安心感のある素材を使ってちゃんとしたシェフが妥協なく料理したら、これくらいの値段になりますよ、という日常的な価格が東京でのランチ、2400円あたりじゃないのかな、と俺は思いますけど。

そういうお店は、混雑した行列とかぎゅうぎゅう詰めの相席などとは無縁です。時間や空間の使い方、サービスの優雅さも料金には含まれています。混み合った騒がしい店内で、教育の行き届かない店員の態度に腹が立つ、なんてこともありません。「金持ち喧嘩せず」という言葉が生まれた理由がよくわかると思います。

4倍理論はわかりましたね。「目的を達成する人ほど目標を身近なところに置いているものです。ご注意ください」と、小田急線の駅員から変なイントネーションで聞いたことがあります。10年後の理想を妄想するだけじゃなくて、10年後にそうなっているために今日や明日やればいいことを逆算してはっきりさせることが大事です。日常的に2400円のランチを食べているのはしかるべき立場や、ある程度収入のある人でしょう。子どもが走り回って大騒ぎしているファミレスとは違いますから自然とそれなりの振る舞いができるようになるはずです。タンクトップにサンダルでは行かなくなります。価格にはマナーの学習費も含まれてるってことで、もしかしたらそこで自分の運命を劇的に変える人と出会うかもしれません。

こんな話があります。アラブの石油王の息子がパリの一等地のペントハウスに住んでいる。仕事は何もなく、奥さんとふたり、毎日高級なレストランで食事をしたり、オペラを観たり、ただただ遊び歩いてる。その理由は、産油国アラブの有力者である父親がフランス経済に対してお金を使っているというポーズを見せたいから。つまり彼らの仕事はパリで底が抜けるほどの無駄遣いをすることだったんです。あるとき、奥さんがベンチャー事業に巨額の投資をすることになった。いくら損をしても構わないという前提ですから、パリの企業に投資したという事実さえ残せればいい。しかし奥さんは大変な誤算をしてしまいます。毎日フランスを始めとしたヨーロッパの財界人や政治家と食事やパーティの席で彼らの話を聞いているうちに、まったくの経済音痴だった奥さんが、知らないうちに事情通になっていたのです。奥さんが選んで投資した、聞いたこともない美容に関する新規事業は時流に乗って莫大な利益を生み、困ったことに数百億のお金がまたアラブ人夫婦の手元に戻ってきてしまった。奥さんは旦那から「お前はなぜ儲けたんだ」と怒られる、というコントのようなオチがついてしまいました。

このエピソードでわかることは、なけなしの元手でちいさな利益を必死に稼ごうとしている人と、損をしてもいいと思って大金を張れる人の差であり、さらに大事なのは、「持っている情報の差」なんですよね。とにかく体験や経験は多い方がいいのです。そのために使える前払い金を潤沢に持っていることが、さっきのアラブ人夫婦のように次に繋がる。年収500万円の人が年間100万円の食費を使うとします。

まったく根拠のない雑な数字ですが。では年収5億円の人は1億円の食費を使っているでしょうか。たぶん使っていないと思います。それを1000万円だったとします。年収が100倍の人が食費は10倍で収まっていることになり、比率としても残るお金が増えていますね。これがお金持ちはお金持ちであり続け、貧乏人は貧乏であり続けるという抗いがたい現実なんですね。

あとルイス・ブロックという人と、「欲求の倍数理論」というのは今考えたので、検索しても何も出てこないかもしれません。

20　気づきと学び

学ばない人が、「俗っぽい勉学領域」に片足を突っ込んだときに言う言葉がありま す。それが「気づき」や「学び」です。日常的に学んだり気づいたりしている人は決して使わない言葉なのですが、普段、学ばない人や気づかない人がカルチャーセンターやセミナーなどに行くと激しく勉強した気分になるのか、なぜか必ずこれを言います。誰かがこれらの言葉を「宗教用語の文法である」と解説していたことがあり、なるほどと長年の謎がとけました。赦し、救い、癒やし、など、天にいる神から降ってきた結果として扱うことで直接的な関与を避けているわけです。当然ですが、気づいた、学んだ、という言葉には「誰が」という主語が必要になってきます。私は気づいた、と言えば発言の主体が明確になるのにそう言わず、「気づきを得ました」「学びがありました」とわざわざ言う。なぜそこまで自分を透明化し、客観的な描写を使って他人に責任をゆだねるのでしょう。ロバートにはどうしても理解しにくい部分です。

「寄り添う」「向き合う」というのも気になりますが、こっちはまたちょっと毛色が違う流行語です。毛色は違いますが思考経路は「気づき」とよく似ているので、その言葉を使うのも同一人物です。「気づき」と言う人は、例外なく「寄り添う」「向き合う」を使うのです。キーボードで打つだけで字面が気持ち悪いし面倒なので、まとめて「ヨリムキ」と呼びますね。ヨリムキには、わかりきったことをことさら特殊に言いたいという、「表現の水増し行為」も含まれています。あなたが他人と話すときにどうやって立っていますか。当たり前ですけど正面に、「向き合って」いますね。ですから、私は彼と向き合いました、というのはクソ当たり前な状況説明を、ヒロイズムと自己顕示欲たっぷりに強調してみせているだけなのです。

たとえば「反目した」という表現は、そもそも向き合うべきであるはずの人が互いに目をそらしているという状態を描写した言葉です。これは特殊な状況ですから、あえて表現する意味があります。「夫婦が別居した」と言えば、緊急事態を想像させます。継続して一緒に住んでいた夫婦が離れることは一般的に言えば特殊な状況だからです。ヨリムキが何を言っているかと言えば、「夫婦が同居している」みたいな、トートロジーにも似た、ただの事実です。そしてそのどちらからも「私が相手のために献身的な努力をしてあげている」という押しつけがましさが感じられます。寄り添ってあげる、向き合ってあげる、です。人としての謙虚さが足りていない傲慢な姿勢です。

私は非行に走った中学生の息子に手を焼いていました。でも『ロバート・ツルッパゲとの対話』を読んで、いくつかの気づきがありました。その学びを生かして、息子と向き合い、寄り添っていこうと決めたのです。彼が何に対して反発しているのか、それを「自分事」として、受け止めていこうと思います。（39歳・主婦）

どうです。この母親は何か切実な決意を語っていると感じますか。誰もがその状況で使うだろう「感情の流行語」でしか話していませんよね。どこかで聞いておぼえたような表現に酔っていて、ただのひとつも親であるがゆえの血が出るような苦悩の言葉がない。既製品の感情です。親子でも恋人でも、感情を乗せて運ぶ言葉はオーダーメイドでなくてはいけません。惚れた腫れたを伝えるのにプレタポルテではいけないのです。

「自分事」なんていうのも、ダサいマーケティング用語です。本来、自分のことは自分で処理するという当然のことがなされないときに、「他人事みたいに言うな」と怒られるものですが、それをもう一度自分に戻してどうしようというんでしょう。もしマーケティング的に、「他人のことを自分のことのように」というお節介な意味だとしても、そんなのは思春期の中学生にしてみれば「うるせえババア」で片付けられてしまいます。この母親が使っている言葉、使っている脳がまったく他人事なんですから、盗んだバイクで走り出しがちの中学生の心に響くはずなどありません。俺の本を買って読んでいただいたという一点においては、最大限の感謝を伝えたいです。

「ウケる」という言葉も客観描写です。笑うという行動ではなく、「今のは笑いに値するよね」と審査員のように偉そうに確認している態度が、「ウケる」です。もっとひどくなると、「ウケるんですけど」になります。あとに続く言葉がありそうで、ない。自分はそれに対してそれほど興味がないですから、どっぷりと浸かっていませんから、と言いたいクール気取りなのでしょうか。こちらが何かを一生懸命説明したあとに、枝毛をいじりながら「意味不明なんですけど」なんて言われると、具体的な殺意が芽生えます。理解できないのはそっちの脳の品質に原因があるのに、と。皆さんは骨折したときに何と言いますか。「骨折したんだけど」じゃないですよね。「痛い」と、感情を伝えるでしょう。

気づきや学びといった発言にイライラするのは、必ず同じことしか言わない省エネサボりを感じるところです。人と対話していて楽しいのは、どんな言葉が返ってくるかがわからないからで、たとえば「遠足」という話題になったときに、誰かひとりは、「バナナはおやつに入りますか」「家に帰るまでが遠足です」と言い出すヤツがいます。もうそれ言わなくていいよ、とモモカンしたくなります。モモカンって知ってますか。横浜の方言でしょうか。太ももを横からヒザで思い切り蹴るやつです。これは本当にうずくまるほどに痛いので、決して弱いものいじめに使ってはいけません。関係が対等な相手に誠心誠意ムカついたときにだけ、激しくモモカンしてください。

モモカンはさておき、どんなスポーツが好きですかと聞いて、サッカーなどとメジャーな答えが来るよりも、「タンブレリです」と言われた方が、何それ、どんな競技、と興味が湧くでしょう。自分が知らないことを知ることができるうれしさというのが、ソクラテスのいう対話の価値ですからね。遠足の話のときに、バナナとか、おやつ300円以内などと言ったり、カレーを飲み物だなんて言ったらダメです。そんなやつとは対話の価値ゼロです。

俺が大好きな、長久允《まこと》監督の映画『ウィーアーリトルゾンビーズ』の中には、そのような典型表現のサボり言葉の否定がたくさん出てきて楽しいです。13歳の少年と少女は、「エモいって、古っ」「絶望って、ダサッ」と言います。これらはごく単純に流通している流行語に収まるほど自分たちのエモーションや絶望や希望は安っぽくないのだと、彼らに宣言させているようにも聞こえました。こういう表現が生み出せる人は、間違いなく、哲学者です。

21　生きていると死んでいる

どこかへ旅行するときはみんな目的があると思うんですけど、俺にはありません。名所旧跡の観光もしないし現地の特別なイベントにも行きません。カメラを持って朝から晩までホテルの近所をブラブラして、グにもつかないものをひたすら撮っているだけで満足。夜、ホテルの部屋に戻って来ても、天井のシャンデリアを撮ったり、テーブルのライトを使ってあらゆる角度からコーヒーカップをブッ撮りしたりしています。だからどこに行ってもいいし、同じ場所に何度行っても退屈はしません。日常と切り離された場所でただぼんやりしたいのですが、何もないリゾート地が苦手なのは渋滞や生活感がないからで、見渡す限り水平線みたいに美しい風景のところでは写真が撮れません。そういうのはインスタグラマーに任せておきます。

アジアに行くようになって、A4の紙1枚にちいさい文字で三国志が全部書いてあるような情報量のスゴさに感動しました。日本人が憧れるイタリアンモダンデザインとか北欧のミニマムさって、貧しくゴチャゴチャした環境に育ったアジアの劣等感から生まれているような気がします。就職したら東京のデザイナーズマンションに住みたい、あの「干し柿の怨念」です。ヨーロッパには整然としているのに濃い情報量があるので撮っていて飽きません。アジアが魑魅魍魎のドン・キホーテだとすると、ヨーロッパはエレガントなドン・キホーテです。どちらもドン・キであることに変わりはないんですが。友人の家でバングアンドオルフセンのCDプレイヤーに、近所の米屋さんの名前が入った黄色いタオルがかかっているのを見たとき、俺は思いました。こいつは怨念をコントロールしきれていないと。いや、6周回ってこれはありなのかもしれない、と混乱しました。回るCDと怨念が一緒にぐるぐる回りすぎて何もわからなくなりました。

今ミラノにいます、とか言うと、必ず「あの展覧会は絶対に行った方がいいよ」などとアドバイスされます。でも行かない。死んだ芸術家の死んだ作品を観ることにそれほど興味が湧かないのです。それより、生きているパン屋のおじさんとか、生きているピザ屋のお姉さんとか、生きている犬とかを撮っている方がしあわせ。俺が撮りたいのは「そこにいたときに、俺と一緒に生きていた人やモノ」です。

写真を撮る仕事は、いかにその土地と関係を持つかにかかっていると思っています。いい風景を書き割りのように使うだけなら、遠くに行く意味はありません。レンタルスタジオに組んだセットが都内にあるのか外国にあるのかの差だけになってしまいます。初めての国に仕事や遊びで行くたびに、俺はその土地に住めるかを確かめます。今までの1位はトツダンで台北でした。人は優しいし食事は美味しい。友人もたくさんいます。しかしながら、先日1位から転落する事件が起きました。小雨が降る中、友人たちとカフェに行きました。いいカンジのカフェで、さすがに1位だけあると思っていました。お茶を飲み終わって外に出ると、雨はやんでいました。濡れたアスファルトに散らばる枯れ葉、そこに反射したネオンの原色が美しかった。俺はド近眼なんですけど、撮影するとき以外は何も見えなくていいやという方針で、コンタクトレンズも眼鏡もしていません。気のせいか、風もないのに枯れ葉が動いた気がしました。近寄って見てみると、それは一斉に散っていきました。枯れ葉だと思っていたのは全部、黒々とした大きめのゴキブリック・アニマルだったのです。マッチョなブリゴキが生き生きと生きている街。これは無理だ。かくして台北は住みたい街の王座から転落したのです。

現在は過去から繋がっています。過去があったから今がある。健康食品を研究している人も、最終的には全員死にます。ですから生きているうちに「生きて、やりたいこと」をしなければ間に合いません。行きたいところに行き、やりたいことをやる。それができない理由が「死んだから」ならわかります。ご冥福を祈りますが、生きているなら何か方法がある。他人のアドバイスというのはつねに「そうしない方がいい」に偏りがちです。心配している、と言うのです。でも持っている可能性を殺してまで無事に生きていくことは、本当に生きていることなんでしょうか。友人の写真家、幡野広志さんは、病気のせいで一般的な寿命よりも長く生きられないかもしれないと言われています。同じ写真家ということで俺にとっては参考になることも多いんですが、彼の生き方や写真は、病気が発覚する前とほとんど変わっていないように見えます。意志の強さというか、人としての筋の入り方を尊敬するしかありません。終わりがあるのはみんな一緒なんですが、それを意識することで見えてきたことは表に出さないまでもたくさんあると思うし、泣いた夜もあるはず。でも彼は我々に、自由に生きることだけをテーマに本を書き続けています。それを読んで、素晴らしい文章だな、やはりビジュアルを作るために言語を大事にしている人で、ヤシガニとは違うなあと思っていました。

あるとき、幡野さんが文章を書き始めたきっかけが、10年近く前に、俺の雑誌での連載を読んだからだという話を聞きました。写真家は写真を撮ることを言語化できないといけない、自分も文章を書かないといけないと思ってくれたそうです。これほどうれしいことはありませんでした。尊敬する作家に過去の自分が少なからず影響を与えていたと知る。生きていくというのも、まんざら捨てたものではないですね。

22 求めると求められる

写真を撮っているといろんな人と会いますけど、面白いのはやはり職人です。目的がハッキリしていることと、途方もない時間をかけることで到達できる未知の領域を教えてくれることからです。料理人だと「50年分の旬」を体験して初めてわかることがあります。2年前に始めた人に「今年のサンマは美味しいですよ」と言われても、お前、去年のことしか知らないだろ、と思われて説得力はゼロですからね。日本語で言ういわゆる「ビジネス」では、けっこうこの「2年目」っぽい発言がまかり通ることがあって、皮肉ではなくそれで商売になるんだなあと感心します。ある人が「部下を動かす方法」というビジネス本を書いていましたけど、会社員時代の彼には部下がひとりもいなかった、という笑い話も実際にありました。以前は、50しか知らない人や70くらい知っている人が100を知っている人にビジネスを教えてもらっているんじゃないか、という漠然としたイメージがあったのですが、実は、「たった1でも知っていると、ゼロの人を相手に商売を始める」のです。これには驚きます。1の人の身の回りに１００の人がいなかったんでしょうね。いれば恥ずかしくて、そんな真似はできません。

たとえばビジネス本を読んだ人が「毎朝10分でいいから、メールなどを見ないで考える時間を作れ」なんていうのに納得して実践する。「気づきがあった」なんつって。いい歳になるまで自分でその程度のことを気づく能力がなかったからウダツがあがってないんですけど、何かとてもいいことを学んで実践していると思っている。ビジネス商法はダイエット商法と同じで、わかりやすくて努力の必要のないものが好まれます。「英語は勉強しない方が話せるようになる」のような。努力よりサボることを肯定されるとラクなので人気が出ますよね。これでは絶対に許されないのが職人の世界で、なぜかと言えば努力しないと単純に何もできないからです。

自分の能力がそのまま評価に直結しているかを冷静に考えてみると、ほとんどのサラリーマンにはそれがないと思います。だから評価という基準に幻想を持ったり間違った理解をしがちで、年功序列のボンヤリ基準で上がった給料は、転職しても同じだけもらえるとは限りません。「あなたは他の人と比べて何が優れていますか」という問いに、過去に勤めていた会社の社内常識においてではなく「これができます」と言えないといけません。そもそもそれに気づいて実行できるほどの人は若いうちに起業していることが多いですけどね。

自分の10年ちょっとのサラリーマン経験と、20年のフリーランスという セコい履歴から言うと、フリーランスはストレスがなく気楽です。ある部分では厳しいですけど、「能力が評価に直結する」という精神の健康さを保つことができるので自分には合っていると思います。もし自分にとてつもない能力があればもっと地位も名誉も収入もあったはずですが、「でも、ない」という能力に直結したスガスガしさは何にも代えがたいものです。ヒューストン並みに「なさ」に納得ができているから健康なのです。

その代わり誰の顔色をうかがう必要もなく、会社には自分が必要なんだという誤解もしなくて済みます。俺が一緒に海外ロケに行ったクライアントの社員が、毎晩「何か困ったことはないか」と会社に電話をしていました。結局ロケから帰る日まで何もありませんでした。本人は自分が不在で部下が困るだろうと懸念していたんですけど、その人がいなくても会社は普通に動くものなのです。仕事を分担することと、自分の名前が仕事になることには大きな違いがあります。「あの芸能人はもう売れてないよな」みたいなことを酒の席などで言う人は、やはり評価と能力を正確に理解していないと思います。レベルの違いこそあれ、一度でも個人の能力のみを審査される厳しい舞台に立ってみればわかること。どの時代にも奇跡的な天才アーティストが数人いて、たいしたことないアーティストが岩場のフナムシくらいたくさんいて、凡庸以下の自称アーティストがその数千倍いる。

たとえば文章がメディアに載ることを昔は、書いたモノが「活字になる」という誇らしげな表現をしていました。投書以外で新聞や雑誌にアマチュアが書いた文章が載ることはなかったし、自分で出版することもできませんでした。今は普通の人の文章でもすべてが活字です。その活字はデジタルの2バイトで、鉛でできてはいないんですけれど。活字になる価値のある文章を世の中に提示できるのは限られたプロフェッショナルだけでした。厳しいふるいにかけられていたから下手な人がいなかったのだと思います。今、ネットニュースなどを読んでいると、明らかに「まともに本を読んだことがないだろう」と言いたくなる人の文章を見かけます。誤字脱字は言うに及ばず、典型的な言い間違いなどのオンパレードです。オンパレードって久しぶりにというか、使うのは初めての気がします。ひたすらダサいですね。

パソコンで活字が打てることを勘違いして、誰でもどこかに向けて「表現」をしまくっているネットの世界。もちろん中には素人であっても尊敬に値するコンテンツメーカーもいて、ネット黎明期にはそういう人が目立っていました。ただそれは分母の絶対数が少なかっただけで、あらゆる時代に優秀な人とそうでない人の比率は変わらないと思っています。「自分にはまだ誰も気づいていない才能がある」と信じること、アピールしていくことは悪いことではありません。ボブ・ディランだって少年の頃にそう思っていたから偉大なアーティストになったんでしょうし、もし今、彼が少年時代を過ごしていたら、Sound Cloudに自分の曲をアップしたり、散らかった部屋で弾き語りを撮影した動画をYouTubeに上げていたかもしれない。

こういうデリケート・ゾーンに踏み込むのは勇気がいりますけど、何が言いたいかというと、優しさと客観性のバランスをもうちょっと考える必要があるんじゃないかなと思います。友人のことを「あいつ、天才だぜ」みたいに優しい目で言う。それって誰と比べているのかわからないですよね。天才はまんべんなくクラスにひとりいるようなものじゃないという客観性を欠いている。ボブ・ディランの同級生だったら「やつは昔から天才だった」と言ってもいいんですけど。能力でも技術でも才能でも何と呼んでもいいですが、やっていて自分が気持ちのいいことと「人から期待されること」はまったく違います。自分とその周囲の友人だけが喜んでいるのは決して才能とは呼ばないし、それは言葉の定義の問題だけじゃありません。

天才を見間違えることは、自分の眼が節穴であるという立派な証明になります。天才病とでも言えるようなものがはびこり、過激に突出しているように人を祭りあげたがるのはなぜなのでしょうか。ドラマティックな天才を見たくて仕方がないという病気はオリンピックなどを見ればよくわかります。百年にひとりと騒がれる逸材が毎シーズン出てくるのはなぜか。そう言いたいだけなんだと思います。百年にひとりということは、ほとんどの人が一生に一度もその分野の天才を見られないかもしれないはずなのに。見る側の眼が節穴と書きましたけどそれはどうでもいいことです。ですが、やっている人が自分の能力を見てダメだとわからないなら「作る眼が節穴」だということで、もう救いはありません。俺が毎日自分が撮った写真をアップし続けているのは、自分の眼が節穴パティッツになるのを避けたいからで、「これ、いいでしょ」という自己顕示欲ではありません。ホメられるためにやっているんじゃありません。望むのは俺より能力が高い人からのダメ出しです。

100メートルを19秒で走るヤツがオリンピックに出たいと言って来たらキッチリ予選で却下してもらえます。スポーツってそこが本当に単純でいいですよね。他人が撮った「100メートルを25秒台で走っているような写真」を見て、さらにその人が「僕たちアーティストってさ」と言うのを聞くと鳥肌が立ったり座ったりします。俺のような30秒クラスは謙虚にいきます。自分のことをアーティストなんて言うのはおこがましい。きみ、9秒台で走る人をメディアでたくさん見ているはずだろう、と眼を疑われますから。「うちのクラスで一番足が速いヤツ」って、アスリートでもないし、何もすごくないからな。

23　パリとベルリンのカフェ

ソクやんの哲学的対話の舞台はギリシャでしたが、サルトルやボーヴォワールたちの対話はパリのサンジェルマンにある、カフェ・ド・フロールなどで行われていました。このカフェはそれだけでなく、ダダイズム、シュールレアリズム発祥の地でもあります。とにかく何もせずにダラダラしゃべっている場所には、自然と哲学や文学が生まれてしまうのです。

パリには魅力的なカフェがいくつもあります。俺が好きなカフェの条件はいくつかありますけど、別に行く理由なんかないわけで、ただひたすらコーシーを飲んで、心地よくボンヤリできればそれでいいのです。具体的には、街の角にあること。四方から歩いてくる味のある人々を眺めることができます。次に、大昔からカフェであること。新しくできたカフェとは作りが違うからです。それと一番大事なのは、働いている人が変わらないこと。

東京で同じ条件を満たす店は皆無と言ってよく、人通りの多い街の角に喫茶店を構え続けるのは経営的に困難だし、従業員やアルバイトもすぐに入れ替わってしまうでしょう。パリのカフェでは東京から12時間かけて久しぶりに飛んできた俺を見つけても大げさに反応せず、まるで昨日も会ったかのような顔でさりげなくウィンクしてくれる店員が何人もいます。そういう人との接し方が、粋で好きなのです。歩道とテラス席との関係からなのか、日本のオープンカフェはどうも落ち着きません。気持ちよく外で飲める店は多くありませんし、店員と話すこともほとんどないと言っていいでしょう。このあたりがカフェ文化の違いです。

俺はどこかに行くとその半分くらいの時間をカフェで過ごすので、カフェがいい街は問答無用に好きになります。パリやベルリンはもちろんのこと、アムステルダム、台北、ソウル、ブリュッセルなども好きです。ソウルは今までマリリン・モンロー・ノーマークだったんですけど、どうやら若手インテリアデザイナーの能力が高いようで、東京より個性的で雰囲気のいい店がたくさんあります。日本人はアメリカっぽい、ヨーロッパっぽいものをそのまま移設するのは得意ですが、それだけ。真似によるマネーの稼ぎ方です。ソウルには独特のソウルっぽさや、欧米にはない斬新な提案を感じます。ゲスな言葉を使えば、すでに日本のカフェはソウルや台北をパクり始めているようで悲しくなります。少しは自分で考えろよと思いますが、それはよく言われる、「ボラが先かカラスミが先か」という議論で、カフェを訪れる客の、「わー、パリのカフェみたい。おしゃれー」というバカっぽい需要を抜きにしては語れません。消費者に合わせるから、負のスパイラルで民度は落ちていくのです。そこまで大げさな話じゃないってことは後半、うすうす気づきながら書いています。

昔、「お前の写真はドイツ人が撮ってるみたいだな」と言われたことがあります。人間の性格をホノルル、フロリダ、プラハ、ベルリンの4つに分けたら、絶対に前のふたつには入らない自信があります。温暖で短パンでアロハより、寒くてアンハッピーな堅物サイドに親近感があります。人間を4つに分けるのはあまりにも乱暴すぎると言われるかもしれませんが、あなたたちが血液型性格判断で盛り上がっていることはよく知っています。

ベルリンに行ったとき「このカフェならずっと写真を撮っていられる」と感じた店がありました。何ということのない風景や空の色や人の佇まいなどのすべてが、ちょうどよかったのです。そのカフェは美術・建築などの学生が多いミッテの通りの角にあって、近くにはギャラリーもたくさんあります。毎日行っていたのに店の名前すら気にしていませんでした。帰る日に初めて看板を見上げると、そこには俺の大好きな映画『ユージュアル・サスペクツ』に出てきた重要な登場人物である「カイザー・ソゼ」という店名が書かれていました。映画を観た人ならわかると思いますが、俺の旅のラストシーンで、「俺が知らずにずっと座っていたこのカフェは、カイザー・ソゼだったのか」とわかるというのは、まさに奇跡のような出来事でした。

写真は、「そこを撮る」「そこで撮る」の違いがあって、あまりにも自意識の強い都市に行くと場所に負けてしまいます。イッセー尾形さんのひとり芝居に『移住作家』というのがありました。ナルシストな作家はインタビューを受けているとき、カメラマンに向かってポーズを決め、「今、撮りな」と指示を出すのですが、ウィーンのように美しく完成された街に行くといつもそれを思い出します。街全体が年老いた名優のようで、「撮りな」と言われているように感じてしまうのです。

その最たるモノがテーマパークのように感情の動きを計画的に他人に決めつけられた場所で、だからそういうところには行きません。テーマパークはさておき、街にはイブニング・ドレスのように華美な部分と、10年使って毛玉がついたユニクロのブラジャーのように気の抜けた部分があります。そのどちらも観察することで街の全体像は理解でき、撮るときの配合が決まってきます。ドレスだけだと表面的になるし、毛玉ブラジャーだけを見つめても下品になるので、どうしたら街がキュートに見えるかと、いつも配合の割合に苦心します。そのちょうどいい中間がカフェという場所である気がします。ユニクロのブラジャーは10年使うものなのかは誰かに聞かずに想像で書いています。間違っていたらごめんなさい。

初めてベルリンに行ったとき、あることで俺は凹んでいました。気分が落ち込んでいるときは祭りに参加するしかないと、ベルリン国際映画祭に招待されていた平林監督の後を追うことにしました。平林監督には何も言わず、「楽しんで来て」と送り出しました。監督に同行するアシスタントのヨネから滞在するホテルを聞き出し、俺も同じホテルに部屋を取ります。映画祭会場近くで俺を発見したときの監督の顔が忘れられません。テレビ番組のドッキリをやっている人の楽しさがわかった気がしました。しかしそのノリも初日だけ。ベルリンは顔をカミソリで切られているんじゃないかと思うくらい寒く、空はどんよりと暗いグレーで、ホテルの前では獰猛な野犬たちが血だらけで喧嘩をしていました。映画祭の内容そのものは素晴らしかったんですが、期待したような祭りのムードはありませんでした。夏なら居心地が素晴らしいだろうとわかるカフェのテラスも見事に数十センチの雪で覆われていました。俺の心の傷は癒えるどころかクール宅急便のような新鮮さを保ち続けます。

ウンター・デン・リンデンの国立オペラ座近くに「ノイエ・ヴァッヘ」という建物があります。元は衛兵が使う建物だったそうですが、今は戦争による犠牲者の追悼施設になっています。天井には大きな丸い穴が開いていて、中央に置かれたコルヴィッツの「死んだ息子を抱く母」のレプリカにはうっすらと雪が積もっていました。雪に吸収され、音は何もありませんでした。広い空間に佇む母子像を見たとき、ゆっくりゆっくりと涙が出てきました。鼻水も出ましたがそれは寒さのせいだろうと思います。これを見ただけでもベルリンに来た価値はあった、と俺の傷ついたクール宅急便の荷物は少し温度が上がりました。

さて、結末を三つ用意したので、各自、好きなやつで終わらせてください。

A

ノイエは新しい、ヴァッヘは兵隊なので、衛兵所であるこの建物の名前は、新しい兵隊とかいう意味になるんだろうけど、戦後における「新しい兵隊」とは、この母親のように武器を使わない愛の戦いをする人なのではないか、と感じながら降り続ける雪の中をホテルへと戻った。

B

愛情にはいくつもの種類がある。恋人であったり、兄弟であったり。大きく言えば友情だって愛情の一種類だ。しかし母親の愛だけはそのどれとも違う。たった一言で言うなら「愛する理由を考えたことがない」という純粋さだ。

C

ベルリンから帰るときの飛行機で隣に座ったオヤジは、何度も寝屁《ねべ》をこいた。最初は変な臭いがするなあと思っていたんだけど、臭いはオヤジの寝返りから遅れること数秒でやってくる、という法則性に気づいた俺は怒りを禁じ得なかった。しかし本人は寝ているわけだから我慢しなければ。食事のとき、あろうことかオヤジは起きているのに、こきやがった。それはあまりにも新しい展開で、まさに「ノイエ・ヘ」だった。

24

美容師と料理人

好きなミュージシャンやスポーツ選手はいますか。ファンはコンサートに行ったり試合を観に行ったりしますけど、スターとあなたは「1対数万人の関係」ですよね。そんなのは有名人なんだから当たり前じゃん、と思うでしょうけどそうじゃありません。簡単に言うと、あなたはスターにもらっているばかりで何も与えていません。人と人の関係はつねにギブアンドテイクなのです。スターはスタジアムで数万人に夢を与えていますが、日常生活ではサービスを受け取る立場になります。髪の毛を切りに行く、お寿司屋さんに行く。「私の髪を切ってくれる信頼すべき彼女」「美味しい寿司を握ってくれる親方」とは、対等につきあうのです。

そこでたまたまお寿司屋さんで隣に座ったあなたが「大ファンなんです」と言ってみても、迷惑なばかりで何も響きません。あなたは彼に何も与えていないからです。今から美容師免許や調理師免許を取るのもいいですが、それはあまり賢い方法とは言えないでしょう。今のあなたが持っていて、与えられるモノは何かを考えればいいのです。

たとえばウーマンラッシュアワーの村本大輔くんは、面白い漫才師でありスタンダップコメディアンです。そこで俺はまったく戦えませんけど、写真を撮るなら俺の方がたぶんうまいはずです。だから漫才師と写真家として対等に話せるのです。これは相手が有名な人でなくても同じで、自分の存在、価値が相手にどう受け取られているか、にもっと敏感になるべきです。他人に多くを与える人は人望や敬意を得て、さらに人に好かれることになりますが、逆に誰かを利用して何か得をしようとたくらむ卑しい人は、どんどん周囲から疎まれていきます。どんな集まりの中でも「あの人がいてよかった」と思われるようになればいいのです。そうなることは特に難しくはありません。自分の自慢話や他人の悪口を言う人をよく観察してみてください。いつも同じ人でしょう。そしてその人はどうでもいい会には参加していますが、本当に大切な集まりには呼ばれないものです。

楽しそうなパーティの写真がネットにアップされると、それを見て「えー、私呼ばれてなーい」と言います。理由は聞くまでもありません。冷たく言えば、呼ばれなかったこと自体が答えだし、そういう無神経なことを皆が見ている前で言ってしまうような人だから、です。この痛々しさにつけるクスリはありません。受け取るためにはまず惜しみなく与えることが必要です。人はすべてを損得勘定で判断しているわけではありませんが、得をしようとずる賢く振る舞う人だけは、わかりやすく拒絶します。

俺の知り合いには世の中で名前を知られた人がたくさんいます。その人たちに自分から友だちになろうと言ったことは一度もありません。仕事柄、有名な人と会う機会は他の人よりも多いのかもしれませんが、一度くらい一緒に仕事をしたからと言って、友人になることはありません。彼らは毎日現場でたくさんの人と会うのに全員と友だちになることなどあり得ないでしょう。有名人である彼らが一番望むのは、自分を特別扱いせず、普通に関わってくれる人だと思っています。知らない人から、サインください写真撮ってくださいと、一日に何百回言われるのでしょうか。ひとりのファンにとってはたった一度でも、何百回それにわずらわされるのでしょうか。その想像力を持たない相手と友人になどなれるはずがありません。

実際に友人になった人とは仕事をしていない方が多く、なんで知り合ったんだっけ、と思い出せないこともあります。でも友だちってそんなものですよね。始まりなんておぼえていない。学生までは友人というのは「いる場所」で決まっていました。学校が同じだとか、生まれた年が同じで、塾が同じだとか、同じ団地だとか。それは自分で決められない条件です。会社の同僚というのも小学校のクラスメートと同じで、たまたま「同じ箱の中にいた」だけです。でも大人になると自分が行動する領域は自分で決めることになります。クラブでもバーでも趣味の集まりでも。小学生のときとは違って、ここで友人を作れる人と作れない人の差が生まれることになります。

「ファン業」というのは、俺が尊敬する思想家であり、たまに音楽も作る山口優さんの言葉です。パフォーマーとそのファンとの間には決して踏み越えられない柵があることで互いの存在がハッキリするんですけど、実は柵の前で両手を広げている警備員も柵の信者であり、実は柵なんて存在していないとも言えます。物理的に乗り越えられる柵であっても宝塚ファンのように厳格なルールを守る人々はそれをまたぎません。越えられると思ったことがないし、越えない方が穏便だからです。ここに愛情の矛盾がある。ファンであることをどこか業務のように思っているように見えます。これを指して「ファン業」というんですけど、ファンであることから「ファンである姿をモサクし始める」と、こういうことになっていきます。そこまで自覚的じゃない人の方が多数なんですけどね。ミュージシャンや映画監督を好きであるという気持ちは単純で別に悪くありませんが、なぜ彼らを好きなのか自分でわからなくなっていくのでしょう。「あの曲は好きだけど、今回の曲はまったくいいと思わない」と言うのが健全なファンだと思いますけど、ファン業を営む人はそれを「愛の欠如である」と攻撃します。なんでもかんでも肯定するというのは、すべてを否定することと大差ないと思いますけどね。

何かを表現する人は、つねに「これで大丈夫だろうか」という不安を、脇の下に抱えてモノを送り出しています。猛暑の夏などに嗅いでみればその不安の大きさがわかります。その鎧の隙間を突かれると地獄の苦しみを味わうし、褒められるべきところを褒められると「あれでよかったのだ」と肩の荷が下りたりします。その気持ちは人前に何かを提示したことのない人にはきっとわかりません。見えない柵が誰を守っているかと言えば、それはファンの側です。パフォーマーはその名前ですべての批判を引き受け、ステージという残酷な場所に立ち続けなくちゃいけませんが、ファンは自由に会場を移動できます。ダウン・タウン・ブギウギ・バンドの頃から大ファンでしたなどと言いながら、平気で流動的な心変わりを見せるのです。

ファンと一体になりたいというミュージシャンの言葉も何だかむなしく聞こえます。ステージと客席には深くて暗い河があるからです。そのイムジン河のように悲しくてやりきれない葛藤和彦をファンは知りません。ライブを観た後のファンは何事もなかったかのようにコンビニに寄って家族の元へ帰って行く。ミュージシャンはその間も悩み続けているのです。

ヒモの話を聞いたことがあります。優秀なヒモになる条件はただひとつ。「バイトも含め、一度も働いたことがない」ことだそうです。働いたことがあり、お金を稼ぐ大変さを少しでも知っていると同情してしまって女性から冷酷にお金をむしり取ることができないからだといいます。これはとても納得できる話でした。それが逆から見たファンというものだとも言えます。何かを作って世に出したことがない人は、与えられたモノを冷酷に批評します。なぜ目の前にモノが転がっているかを理解できない。雨が降ってきたから水滴があるくらいにしか思っていない。血のにじむような努力でその一粒ずつを丁寧に作って降らせているのに。じゃあ結論は何かというと、まだ考えていません。

25 キム兄とホームレス小谷

俺はがさつな人が苦手です。だからつきあう人は繊細な人ばかりが残っていきます。その中でも将軍級に繊細なのが木村祐一さん。俺が兄さんだと感じている友人は文字通りキム兄だけです。見た目も兄弟と間違えられるくらい同じ方向性を維持していま す。昔、ダウンタウンDXを収録していたTMCスタジオの「今昔庵」という喫茶店に座っていると木村さんが向こうからやってきて、「アニさん、今日も怖い顔してはるなあ」と言われ、「俺とほぼ同じ顔だろう」と心の中で答えた記憶があります。

木村さんは、面白いことを言うメジャーリーガーたちの中でも最速を競う、アロルディス・チャップマン投手のような人です。俺たちに合わせて楽しくキャッチボールをしてくれていますけど、本気でストレートを投げられたら絶対に捕れないだろうという恐怖を感じます。いつもこういう人と話しているから、「自分が面白いことを言う」なんていう勘違いを一度たりともしなくて済みました。ありがたい存在の兄です。

と、真面目なことばかり書いていると、マジメというカサブタが「自由な出血」を奪ってしまうので、ほどよいタイミングでくだらないことを書こうとこころがけています。またそう決めてしまうと何も書けなくなるんですけどね。

こういうとき「ハードルが上がる」と表現する人がいてはりますけど、ハードルの高さはつねに一定やから。「高跳びのバーが上がる」ならわかりますけど。と、木村さんが言ったことがあります。京都弁の表記は適当ですが、その発言になるほどと思いました。普通の人には見えていない現実のスキマや継ぎ目を見つけて、職人が使う薄いバールを突っ込んでこじ開けてみせる。この例はただの言葉の用法についてですが、「そこは開く場所だったんだ」と知らされる、木村さんの哲学的な発見の鋭さに驚かされることはたくさんあります。誰も知らないスキマを見つけること、こじ開ける技術があること、開いたところに見えている風景を人に面白おかしく伝えられること、このすべてが揃って初めてプロフェッショナルと言えます。

マジメもおふざけも簡単で、マジメにしていれば誰からも怒られないし、おふざけをしていれば、「マジメにやっていませんから」という言い訳になる。この間にかかっている高い吊り橋のような場所が揺れるから怖いのです。渓谷に落ちればさよならです。結局のところ、またゆらゆらできず帝国主義のマジメなことを書いてしまいましたが、ハードルが上がる、なんてよく言われる表現じゃなく、「自由な出血」のように、それまで存在しなかった言葉をムヤミに開発していきたいと思っています。

写真の仕事で、「自分には撮れないので、誰か他のプロフェッショナルに頼んでください」と断らせてもらった仕事が今までにいくつかあります。ひとつは建築写真で、これは専門的な分野だから。何十年もそればかり撮っている専門家に頼んだ方がいいに決まっています。もうひとつは結婚式の写真。これは建築とは理由が違って、撮るだけなら俺にも撮れます。それが木村さんの結婚式でした。木村さんの奥さんの西方凌さんは、以前から俺の写真を好きだと言って、写真展に来てくれていました。気持ちはうれしいけど一生の記念に残る大切なイベントを俺みたいなヘタクソが撮るわけにはいかない、と言って最初は断りました。

すると、「私たちふたりが好きな写真家であるアニが見た結婚式を撮ってくれればいい。極端に言ってしまえば、私たちが1枚も写っていなくても構わない」とまで言われたので、これは断るわけにはいかないなあと思って撮らせてもらいました。今まで撮影を頼まれた中で、一番しびれるオファーの言葉でした。

あるとき、木村さんから「知っていることを相手に伝えるとき」の話を聞いたことがあります。「ご存じかと思いますが」「私も最近知ったんですけれど」このふたつを話の前後につけるといいのだそうです。そうすることによって知ったかぶっているように聞こえないし、もし相手がその話を知っていたとしてもお互いに気まずくならないからだと。とにかく人づきあいにおける細やかさで木村さんを上回る人に出会ったことがありません。人に対する気配りの理想が上質すぎるから、他人に優しくない振る舞いをする人や、ボーッと生きている人に腹が立つのだと思います。

この前タクシーの窓から空を撮っていたら、運転手さんに「お客さん、なんで正月って空が青いか知ってる？」と聞かれました。まさかまさかまさか、と4回ほど思いましたが聞いてみると、ペンタゴンの機密を教えてやると言わんばかりの口調で、「あのね、東京にクルマがいなくなるからなんだよね」と、コスられすぎて磨り減った説明をいただきました。これなんです。自分が知っていることなんて大したことがない。話している相手がその分野の専門家かもしれない。つねにそう思っていないといけません。見聞きした断片の情報に飛びつく人は、それをすぐに人に話したくなるもの。でもそれがテレビやラジオからだったりすれば、同じタイミングでみんなが知っています。ネットでなんでもかんでもシェアする人がいますけど、なぜかそういう人に限って数年前の古い環境問題の記事なんかを発掘してきて「みんな今これを知らないとマズいよ」と啓蒙してくるので、驚きながらサプライズします。

かくいう俺も、失敗した経験はたくさんありますよ。

あるロケに行ったときのこと。到着した夜、スタッフみんなで食事をしていました。何かの流れで思い出したことがあったので俺が話していると、数人がニヤニヤしている。なぜこんなに感動的なエピソードを聞いてお前たちはニヤニヤできるのだ、モモカンするぞ、と腹立たしく思いました。食事が終わってからひとりにそのことをたずねると、恐るべきことに気づきました。

「だって、アニさんが言った話は、ここに来るときの機内誌に載っていたから、スタッフ全員が読んで知ってましたよ」と言われたのです。

これほどキッチリ手応えのある恥ずかしい話があるでしょうか。もしそこに木村さんがいたら、「アニ、それは考えられへんぞ」と言われていたに違いありません。解決になるかどうか知りませんが、これから機内誌はできるだけ読まないことにします。

ロバートに、「お前はたくさん本を読むから、さぞ頭がいいんだね」と言うと、「違うよ。本をたくさん読まないと埋まらないほど、俺が持っている知識は少ないんだ」と答える。「何かを知った」と感じたときほど、慎重になるべきなんですよね。私も最近知ったんですけど。

ホームレス小谷という友人がいます。彼はこれまで20ヶ国を超える旅をしてきました。「ホームレスがなぜ外国に」と言われるのですが、旅行業界というのは、ゴールデンウィーク、お盆、年末年始などサラリーマンが休める時期には徹底的に足元を見た高額な価格設定をしています。つまりそこを外した一番安いオフシーズンに旅行が満喫できるのは、カレンダー通り真面目に働くサラリーマンではなく、皮肉なことにお金持ちで時間が自由な人か、学生か、無職の人なのです。グローバルホームレス小谷は「僕には家はない。地球が家だ」と言います。言いますというか、取材されたときにそう言った方がカッコいいよな、とふたりで考えました。自分が所有する家がなくても世界には誰かの家がある。泊めてもらえばそれでいいじゃないかと。そういう行いを、あいつはホームレスだと蔑むのは簡単ですけど、立派な会社に勤めている人よりも数段楽しそうに世界を駆け回っている。俺たちは「ホーチミン、おもろかったですわ」なんていう話をコタから聞きたいだけなのです。

旅行力というチカラがあります。いかに知らない場所で知らない人とコミュニケーションを取ることができるか。コタはそのチカラが並外れています。その証拠にどこに行っても友だちを作りますし、また来いよと言われる。言葉ができるとかできないとかそんな言い訳は何も考えず、どこに行こうといつもの関西弁で乗り切っています。気持ちさえあればなんとかなるものなのです。できないという人には「気持ち」がないのです。旅行から帰ってきた人から、あの国の人はイヤだった、面白くなかった、なんていう話を聞くことがありますが、そのほとんどは本人が悪いのだと俺は決めつけています。ルールやマナーが違う場所を楽しむために知らない場所に行くのに、普段の自分の物差しで測ったり、求めることを相手がしてくれなかった苛立ちの未熟さを、「人が冷たかった」と表現するのです。だから日常のコミュニケーション能力が高い人には、おのずと旅行力もあります。

最初はコタにできるだけ目的を持たないくだらない旅を提示してもらうために、フランクフルトでフランクフルトを食べてきて、とか、ベトナムはムシムシしているか見てきて、などどうでもいいことを頼んでいました。俺が航空券を買えるお金だけ渡すと、あとは持ち前の旅行力で現地の人に奢ってもらったりして、何気なく生きて帰ってきます。そういうコタの外国の旅にも慣れてきた頃、この辺で何か違う「情報の提供」が必要だよね、と作戦会議をしました。情報を提供するのが俺たちの楽しみである限り、情報が古くなったらダサいわけです。また違う都市に行くだけでしょ、と皆が飽きる前に新しくしないといけません。

そこで次に思いついたのが「ビジネスクラスの旅」。ホームレスなのに海外旅行かよ、というツッコミをさらにエスカレートさせる作戦です。オフシーズンにはビジネスクラス運賃もグッと下がるので、それほど非現実的な話じゃありません。ホームレスがビジネスクラス・ラウンジでシャンパンを飲み、優先搭乗をし、フルフラットシートにいる。これはあまりにもバカバカしい図です。現地に着いたら泊まるところを探す無一文の旅をすることになるんですけど、帰りはまたシャンパン。なんと楽しい浮き沈みでしょうか。

ビジネスやファーストクラスにいる人は皆がお金持ちなのかというと、そうでもありません。旅のどこにコストをかけるかの違いで、たとえばエコノミークラスで香港に行き、ルイ・ヴィトンのバッグを買ってくる人がいたとします。でもバッグを買わなければビジネスクラスで往復ができるかもしれない。つまりその人がシートよりバッグを選んだだけのことです。または日本でバッグを買うのをやめれば、香港に行くこともできます。それぞれが自分に必要なお金の使い道を選んでいるだけなのです。

しかしビジネスクラスのインパクトもそう長くはもちません。次は豪華客船を選びました。客船に乗って済州島までの行程を楽しむという大人っぽい方向へ舵を切りました。船だけに。単なる移動手段の中で唯一「豪華」という形容詞をつけてはばからない豪華客船に乗った経験がある人はあまり多くないと思います。今の時代は目的地に早く着くことを前提としていますが、「わざわざ移動時間そのものを楽しむ優雅さ」というのは粋ではないかと思います。

出港したら何日も海だけの同じ風景なので、それに飽きないよう船内にはプールだのパーティだの、様々な仕掛けがあります。退屈を作り出しておいて、それをエンジョイするという贅沢です。「コスタ・ヴィクトリア」という船の予約を済ませたコタから連絡がありました。夜のパーティではスーツ着用がルールなので作りたいとのこと。「作ればいいじゃん」と思いましたが、どうやらそのスーツ代も払えという電話だったのだと数分後に気づきました。図々しい。

コタはすぐに寝坊をするので、当日電話をしました。出発する横浜港ですでにスタンバイしてビールを飲んでいるという返事に一度は安心しましたが、また電話が来ました。パスポートを忘れた、と。どうにかして乗れないか粘ったらしいのですが、目的地が外国なだけに当然乗船を拒否されました。「アニやん、すまん」と言いますが、謝るより先にリカバーを考えなくちゃいけない。大事なのはこういうときです。なぜ骨折したのかなんて後悔や反省はどうでもよくて、ついに最高の松葉杖を買えるチャンスが来たぜ、と考えた方が圧倒的にポジティブで楽しい生活を送れるはずです。コタのリカバー案は、羽田から済州島に飛行機で移動することでした。船という時代遅れの河島英五スタイルをトップガン方式で追い抜く作戦でした。トップガンも相当古いですけど。

このときも、コタがFacebookに「船に乗り遅れた」と書くと、「豪華客船に乗るとか言って、あんなのはネタだったんでしょ」というような書き込みがありました。体験したことがないことについては「否定」のスタンスを取らないと自分の精神が安定しない人がいるものです。それを吹き飛ばすように、船に乗れなかった翌日にコタは上海に飛び、飛行機を乗り換え、済州島で船を待ち受けました。帰路は宣言通り豪華客船をエンジョイして帰ってきた。そこで放った一言が「この時代、船なんて片道くらいが丁度ええわ」でした。

俺は「やろうと思ったけどできなかった」「タイミングが合えばパーティに行きたかった」みたいな言い訳をする人が大嫌いです。結果として、やった人とやらなかった人しかいなくて、「やろうと思ってた人」なんてジャンルはこの世には存在しないからです。それと、「参加する権利」というのをよく考えます。ボクはあるモノが好きです、と誰かが言ったとき、私もそれを体験しましたが好きです、というのはよくわかります。でもネット世界では、「俺はそれについて何も知らないけど、たぶん最悪だと思う」みたいな発言のいかに多いことか。「中トロは食べたことがないけどマズいと思う」みたいな発言を誰が真面目に聞くと思っているんでしょう。旨いに決まってるわ。

何かを想像して話すことは無知としての滑稽さで、ググった情報だけでは何もわからない。自分の足でその場に立ち、風の匂いを感じ、そこでしか会えない人々と話すことを重要視しているのがホームレス小谷なのです。最近のコタはいろんな人から海外旅行を奢ってもらっています。OWNDAYSという心ある企業に依頼され、経済状況の厳しい国の子どもたちにメガネをプレゼントしに行ったり、地震や台風の被災地に行ったりもしています。単に遊びに行くことも多いですけど、意義のあることとないことの境界線がないところもコタの良さです。

世界中のモノを体験してもらうために周囲の人々は旅行代や食事代を出して、コタの目で見たコンテンツを自分が楽しむ。言ってみれば彼はテレビみたいな新しいメディアなのです。コタの良さは「可能な限りの世界の肯定」にあります。これは簡単そうに思えてとても難しいんですが、たったそれだけのことで世界は一変します。コタには劣等感がないから誰とも争わず、「お前、おもろいな」と言います。誰の能力も手放しで認めるので、結果として、「あなたはあなたの信じるままに生きていていいんだよ」という、徳の高い宗教者と似たような発言になります。

ある日、コタが知人と居酒屋にいると、話を横から聞いていた若いサラリーマンが声をかけてきたそうです。どうやら、コタがやっていることが気にくわない様子。「お前は人に奢られて生きているのか。最低の乞食だな」と言われます。そして「じゃあ、俺がお前に酒を奢ったら飲むんだな」とグラスを出しますが、あろうことか、彼はそこに唾を吐いたというのです。コタは「いただきます」と言ってそれを飲んだ。その話を聞いて、どうしてそれを飲んだのか、コタにたずねました。「だってそこで、飲めるかと言って怒ったら、あの人はそのまま変わらんやん。僕が飲んだことで、あの人があとで悪いことしたなと思ってくれた方がずっとええやん」と言いました。宗教者の上位ランカーくらいの小谷様の御言葉に、「何だこいつは」と思って、俺は涙しました。

コタと撮影が終わったスタジオからタクシーに乗ったときのことです。いつものデカい声でノリノリでしゃべっていたコタが渋谷の駅で先に降り、俺はそのまま次の打ち合わせに向かいます。車内には台風が過ぎ去ったときのような気まずい静寂が漂いました。運転手さんがその雰囲気に耐えられなくなったように一言、「あの人は何なんですか」と聞いてきました。かいつまんでコタの説明をすると、どうやらアウトラインは把握できた様子です。「私も若い頃にそういう冒険に挑戦してみたかったですね」としみじみ言います。冒険人生と安定人生を比較したら冒険の方が楽しそうなのはわかりますけど、多くの人は安定を選びます。でもそれは「安定人生」が確実に機能していた終身雇用時代の話であって、してみたい冒険を我慢して捨てた見返りの安定すら手に入らなくなっているのが現状ではないでしょうか。「俺、ギタリストになりたいよ、父ちゃん」と言えば、だいたいの親は反対するでしょう。そんなので食えるか、ちゃんと就職しろ、と言われます。でもちゃんとした会社に就職したはずの父親が家族に安定した幸福を見せることができていなかったらどうなりますか。たぶん、高度経済成長期やバブル期には哲学など誰も気にしていませんでした。でも正しいと思ってやってきたことが裏切られ、すべてをお金や勝ち負けで判断する風潮が蔓延したからこそ、自分はその戦いに加わるのか、それともそうではない理想の生活をモサクするのかを考える哲学的なチャンスがやって来たのだと俺は思っています。

冒険では食えないという建前の保険を効かせて安定を求めた人は、唾を吐いた若いサラリーマンのようにコタの生き方を徹底的に嫌います。何かをあきらめて選んだ自分の選択を否定されるのが怖いし、悔しいからです。真面目に働いていても年に何度も外国には行けないし、ビジネスクラスにも豪華客船にも乗れない。それが羨ましいのかもしれません。運転手さんは何度も「そういう生き方、いいなあ」と言いました。そして、そもそもどういう経緯でそうなったかを聞かれたので、「最初は東京にいた先輩芸人の家に居候をしていたんですけど」と、いつもの説明をしました。「ああキングコングの西野さんですね、よく知ってますよ。相方の女性がボクサーになった人だよね」と。そこはあまり理解していないようでした。

26 ランプと自殺

台湾、台北という街が大好きになりました。何度か行くたびに友だちが増え、今では「お帰りなさい」と言われます。そもそも台北に縁ができたのは、タツヤという友人のおかげです。20年近く前になぜか俺は、放送作家の倉本美津留さんが主宰する、お笑い芸人・放送作家養成コースの講師をさせてもらっていたことがあります。そこに生徒としてやってきたのがタツヤでした。そのときの生徒たちとはいまだに交流があります。芸人や作家になったのはほんの数人ですが、それ以外の人もそれぞれ自分の生きる道を見つけて立派な大人になっています。とてもうれしいことです。

タツヤはレストランで料理の修業をしていましたが、本場でイタリアンを体験してみようとイタリアに出かけます。現地でたまたま知り合った台北の女性観光客に惚れてしまい、イタリアから台北に帰るその女性を追いかけて行ったそうです。結局その人には振られてしまいましたが、台北という街に興味を持ちました。そのときのことを、「彼女への恋は終わったたが、台北の街と新しい恋をした」と、ちょっと格好をつけて言っていました。タツヤは台北に住み夜市の屋台で仕事を始めました。そこにあるたくさんの屋台や街のレストランを何年かかけて観察し、うどん屋は繁盛しているけど、日本そば屋は開業してすぐに潰れているな、などと台北の人々の味の好みを探っていたそうです。純朴で優しい性格なのですが、ビジネスに関しては抜け目ない男です。数年前にタツヤは自分のレストランを市内の中心地に出して、店は繁盛しています。

　タツヤにはたくさんの人を紹介してもらいました。その中のひとりに「ランプ屋のおじさん」がいます。楊さんと言いますが、彼のお店は、まるでファンタジーの世界でした。おじさんはガラクタみたいに積み上げられたクラリネットやトランペットをスタンドに使ったりして、素晴らしいランプを作っていました。夜、永康街の通りが暗くなると、色とりどりのランプの光が輝くおじさんの店は絵本の1ページのように見えたものです。おじさんは寡黙でした。もちろん俺は台湾語が話せませんが、目だけで何を考えているかを互いにわかっていました。おじさんが立ち上がり、街の方をチラッと見ます。何も言わずに外に出て、近所の食堂に入っていく。たくさん料理を頼んでくれて一緒ににこにこしながら食事をしました。

先日タツヤから連絡があり、癌で闘病中のおじさんが亡くなったことを知りました。楽しい目的でしか行ったことのない台北を、初めて悲しい理由で訪れることになってしまいました。おじさんのランプ作りは誰も引き継げないので店は閉めてしまうそうでした。行ってみるとがらんとした店内に、少しだけランプや日用品が残っていました。片付けをしていた息子さんが、「何か欲しいモノがあったら持って帰ってくれ」と言います。俺はおじさんのいない店の抜け殻をしばらく眺めたあとで、何も持たずに外に出ました。思い出以外は何もいらないので、こっちを見ている息子さんに自分の胸を拳でトントンとして見せました。彼もニッコリして、同じことをしてくれた。言葉は通じなくても伝わることがあります。

おじさんの死を知ったとき、「人と知り合うことは、死んじゃったら悲しくなる人を増やすことでもあるんだよね」というロバートの言葉をSNSに載せました。すると直後にそれを読んだ知らない女性からリプライがあり、「たった今、わたしは薬を飲んで死んでしまおうかと思ったんですが、この言葉を読んで思いとどまりました」というのです。俺が書くくだらない文章でも、どこかの誰かの役に立っているのかもしれない。本を読むのが大好きな子どもだった俺が、古今の作家から多くの恩恵を受けたように、俺が本を書くことでも、世界のどこかのちいさな何かを変えられる。これには俺の方が救われた気持ちでした。すぐに返信して、「本が出版されるまでは待っていて欲しい」とお願いしました。彼女が今、この本を手にして、くだらないオヤジギャグに少しでも笑ってくれているとしたら、何にも代えがたいほどありがたいし、うれしいです。

27 名刺と空港

日本人は（こう書くと反論があることはわかっていますけど）議論が苦手だとロバートは言います。なぜかと言えば、どんなことも誰が決めたかわからないようにして、問題が起きたときに責任を分散するテクニックを持っているからです。そしてなぜ日本人は「日本人は」と言われるのが嫌いかという理由もそこにあります。たとえば「我々フランス人は」「我々アメリカ人は」というとき、そこに何かしら根拠のある誇りを含んでいると感じることがあります。自分を数に入れて話す文化があるからかもしれません。

でも日本人は誇りとともに自分を数に入れたり、逆に「カブトムシは」というように科学的で客観性のある文脈で、自画像の輪郭を外から語ることに慣れていないですから、誰かが「日本人が」と言ったとたんに「貴様だって日本人だろうが」「お前は外国人のくせに黙ってろ」と、反射的に怒り出すのです。俺は日本に生まれてよかったと思っているので、当然、日本を愛しているんですけど、日本だけを絶対の善と思っているわけじゃありません。自分のスタンスを話すときにスイッチのオンオフのように、左翼なのか右翼なのかと表明しなくてはならないのは極めて幼稚な社会だと思います。スタンスのグラデーションは人間の数だけあります。

農耕を中心とした生活は自然の風土に合わせた受け身の姿勢を取るので、「うちだけ真夏に田植えをします」というようにはいきませんでした。田植えをしたことがないから適当に言ってますけど。日常のイベントのタイミングがすべて隣近所という共同体と揃ってくると、人の考えや行動原理は誰でも自分と同じはずだという幻想を強固にしてしまう。これが閉鎖された村社会です。そこではできるだけ他人と同じ主張や行動をするのが得策ということになります。だから突然思いついたように「個性の教育」なんて宣言してみせるのはただの建前で、本音は学校という牧場が許している柵の中で走り回る個性だけを求めています。疑問さえ持たなければ柵の中は居心地がよく、羊たちはいつしか自分が低い柵を飛び越えられないと思い込むので、管理者はそこに罰としての電流を流しておく必要もなくなるのでしょう。

これを大人の世界に置き換えると、会社です。「社畜」なんていう下品な言葉を面白がるセンスは俺にはないですけど、「自由な企画を提案したまえ」なんて上司に言われたことを真に受けて、新人社員が革新的なアイデアを出しても、採用されることはまずありません。それは社交辞令で、何年かすればそんな言葉は信じないようになる。でもテレビのドキュメンタリーやビジネス雑誌などはドラマチックな事例が大好きですから、数千、数万ある企業の中で起きた、たったひとつの特殊な成功例を、中島みゆきさんの曲をBGMにして持ち上げるのです。少しは宝くじのようなファンタジーを残しておいてあげないとモチベーションが下がるからでしょうか。

俺が大嫌いで大好きな話があります。何度かロバートがSNSに書いたことがあるかもしれませんけど。

道ばたで激しいケンカをしている人を止めるにはどうしたらいいでしょうか。仲裁のための腕力などいりません。「ふたりとも会社の名刺を出しなさい」と言えばいいのだそうです。いい大人が暴力を使ったケンカをするような状況は歯止めが利かなくなっているから何を言っても通じないような気がするんですが、これでほとんどのケンカは見事に終わってしまうそうです。つまりいくら威勢のいいことを言おうと、「会社をクビになる不安」に勝るものはないということです。

会社が不都合な情報を隠蔽した、食品を偽装していることを知りながら売っていた、などというような場面において、社員が「うちの会社が」というときは、自分の責任を含めているのか、それとも外から描写しているかの大きな違いがあります。「会社の上層部が命令して、それに従わないと怒られるのでしぶしぶ偽装しました」と言っても許してはもらえませんが、必ずそう言います。会社が守ってくれているうちは不正を知りながら会社のルールで給料をもらって働き、問題が明るみに出たら自分は不正に荷担する意思はなかったと外に対して訴える。サラリーマンである限り（クビを恐れる限り）誰もこういった不祥事を起こした末端の社員に石を投げられないはずです。日本は農耕民族からハイテクな「クール・ジャパン」になったそうですから、そろそろ本当の個人主義が生まれてもよさそうなものですけど。まあ、鍵もかかっていない、電流も流れていない、出入り自由な柵の中にいるのに外に出ない羊に、それができないのはわかっていて言っていますが。

俺の周囲の広告関係で、東北が津波に飲まれたとき、私たちにできることはないかと声を上げた人たちがいました。それが津波から東京電力という経済（スポンサー）の問題に移り変わるとともに見事に口を閉ざすのを見ました。つまり他人の想像しがたい悲劇にすらファッションとして対応しているのです。そのとき電流の流れていない柵の中で暮らす「羊たちの沈黙」のすべてが理解できました。やはり俺は、「お金や損得で動く人」が大嫌いなのだと再確認しました。この本を書いた理由も、過去に自分が正義だと思っていたことが誰かを傷つけていなかったかという反省とともにあります。今の教育では徒競走で順位をつけないと聞きます。学芸会で全員が主役のシンデレラを演じるなんてどうしようもない話も聞きます。それは悪平等というもので、ただ優劣を隠蔽しているに過ぎませんし、順位をつけたことによって発生するかもしれない責任を学校が回避しているだけです。

　最後に、大好きな木村祐一さんと話したことがある、「飛行場での見送り」の話を書いておきます。「家族が空港で見送りをしてることがあるけど、あれは差別やね。知らない人であろうと出発しようとする人は誰でも見送ってやったらええんとちゃうかな」空港が見える公園で、飛んでいく飛行機を眺めるのが好きだ、という木村さんはそう言いました。どこまでが自分の家族か、仲間か、という領域を広げ、広げすぎてその境界線すら曖昧になった人だけが、平和主義者や哲学者になるのだと思います。

アニ：どう。こんなカンジで。

ロバート：どうって言われても、まとまりがないよね。バラバラだ。

ア：仕方ないよ。そもそも俺は分裂しているんだから。

ロ：そうだな。哲学なんて大上段に構えたけど、哲学が出てこないしな。

ア：すまんね。期待に応えられなくて。

ロ：期待外れっていうのは、期待が前提だから大丈夫だよ。

ア：相変わらず口が悪いね。

ロ：あまり期待しすぎても、コケたときに恥ずかしいだろ。

ア：そう言えば、これを読んでもらった平林監督から、映画化の権利をくれと言われたよ。

ロ：どうやったらこれが映画になるんだよ。アホか。

ア：「これ、小説ですよね」と言われた。

ロ：そう言われると、確かにそんな気もしてきた。
ア：小説だというなら気が楽だな、と感じた。
ロ：ただの面白くない小説、でいいんだもんな。
ア：そう。読んで役に立つっていうのは全般的にダサいんだよ。
ロ：でも本が出て、うれしいよね。
ア：本を出そうとしてから数年経ってるからね。出ないんじゃないかと思ったよ。
ロ：お前が書かないからだろ。
ア：大阪のスタンダードブックストアの中川さん、いるだろ。
ロ：うん。本が出たらイベントやってくれるって言ってたよね。
ア：店が閉店しちゃったよ。
ロ：お前が書くのが遅いからだよ。
ア：底抜けに反省してる。反省に使うすべての筋肉が筋肉痛。
ロ：しかし、すべてがくだらない本だ。これでいいのか。
ア：俺はこんなくだらない本を書くために、ハーバードを出ていない。
ロ：次回頑張ればいいか。「人生とは先送りさあ」という沖縄のことわざもあるし。
ア：これからもよろしくな。俺の半分。

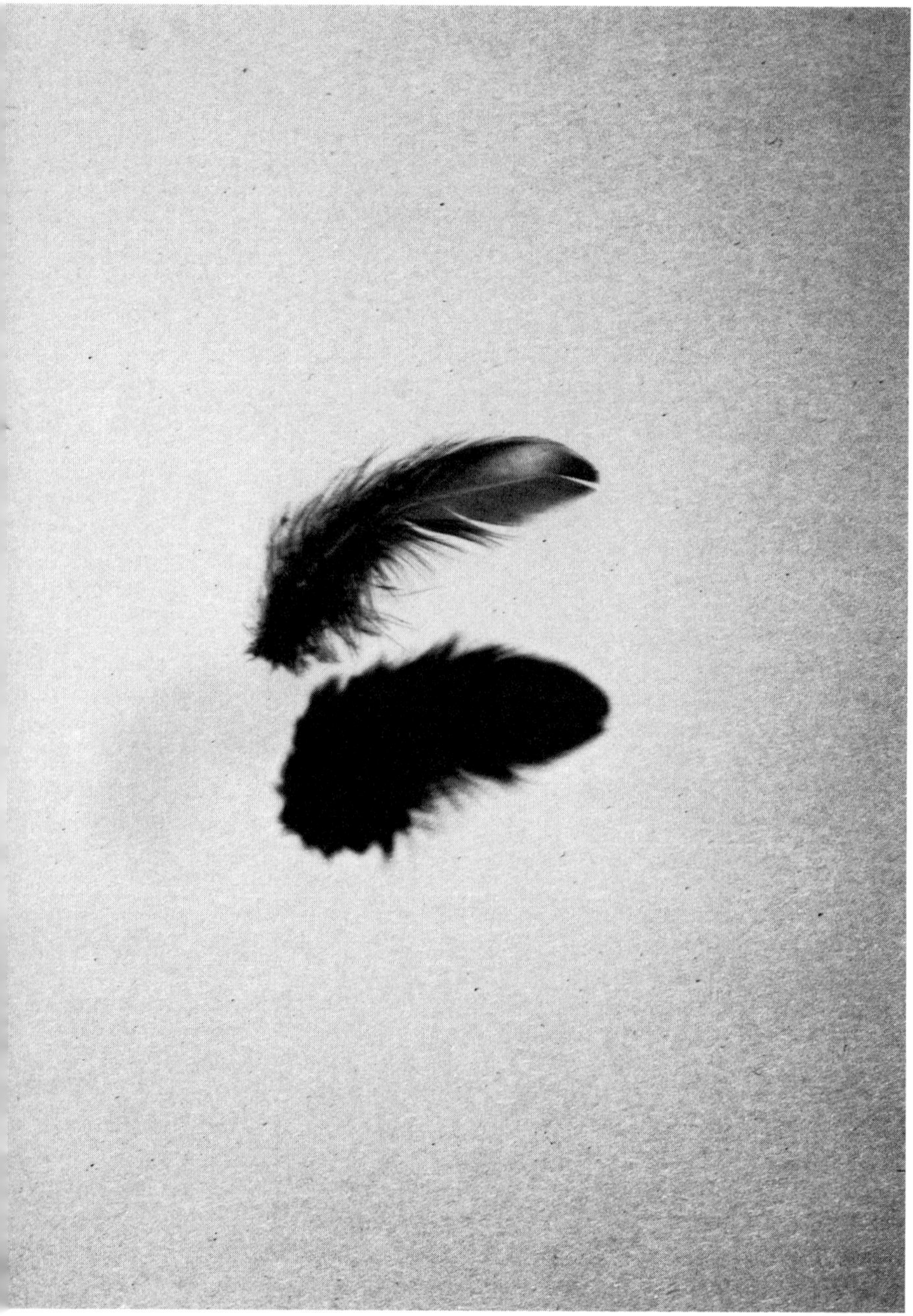

「ある程度売れる」という究極の難題である。

本を出したんですね。

ええ、売れませんでしたけど。

これは何かをやったうちに入らないと俺は思っている。じゃあ売れればいいのか、と言われるとそれもちょっと違う。人目を引くためだけの表現が長期的な信頼をなくす、というのはネットニュースのえげつなさを見ればすぐわかる。

自分がこういうものが好きだという、考えの塊を認めてもらった上で結果を出さなくては、作って発信する楽しみが何もない。この「売れる」という極めてデリケートで乱暴な基準を甘く見たらいけない。

ダメで売れない人、いいモノを作っているが売れない人、ダメなモノでも売れている小太りな人、いいモノで売れている人。いろんな人がいるけど、社会から認められているのは後半の「売れているふたり」であって、尊敬されるのは「最後のひとり」だけなのだ。

キングコングの西野くんの本があれだけ売れているのは、本の内容はもちろん、売るためにすべきことを本人がキッチリやっているからだ。彼はクリエイターがモノを作ることを子育てにたとえている。作品を生んだあとは俺の仕事じゃないから誰か宣伝してくれ、というのは無責任な「育児放棄」だと言った。これは素晴らしい表現だと思う。だからその言葉は、俺と一緒に考えたことにして欲しいと思う。

俺はそもそも文章を書く人じゃない。本が出せたのは、「外部からしか見えないちいさな穴」を見つけられたからだと思う。知名度どうこうは関係なく、俺に本を書かせてくれた編集者の吉満さんには感謝している。実はそれ以前に別の出版社からもオファーをいただいていた。でも吉満さんが写真展会場に来てくれて、「アニさんの最初の本は他の出版社ではなく、うちから出したい」と熱心に言ってくれたのだ。ありがたい。

俺はバカだから、何かをしようと思うとずっとそれだけやってきた人みたいに自分を騙すことができる。まず騙すべきなのは他人ではなく、自分なのだ。40代で急に写真家になろうと思いついて写真を撮り始めたが、その俺が昨年、日本広告写真家協会の審査員を依頼された。劇的におかしい。「俺がこんなことをして、はたして成功するのだろうか」というマーケティングや、常識的なポジショニングをまったく考慮しないというのは、バカ特有の頭の悪さというか、けっこう特殊な才能だと思う。たぶん本が出る頃には、一生を出版に賭けてきました、みたいな文豪ヅラで和服まで着ているかもしれない。才能がない分をそういう無神経さで乗り切ってきたのだ。

俺が見てみたい風景はたったひとつ。俺が書いた本をカフェや電車で読んでニヤニヤしている「うすらバカ」をひとりでも多く見てみたい。高校生の俺が筒井康隆さんの本を読んでいたときみたいに。レストランのシェフなら美味しいと言ってもらう。文章を書いたら面白いと言ってもらう。それは自己承認欲求なんて下品な言葉じゃなくて、子どもが描いた絵を母親から褒められるのと同じ幸福だ。それだけでナンが三枚は食べられる。ひとりでも多くの人にカジュアルに褒められる、というのを下世話に言い換えると「売れる」ってことになるんだよね。

自分がしたいことをする。したくないことはしない。それを哲学と呼ぼうが、何と呼ぼうがどうでもいい。人が生まれて、死ぬ。スイッチがパチン、パチンと二回音を立てる数十年の間に、何をすべきか真剣に考えることは決して無意味じゃない。

誰かが決めたルールに縛られて、本当に自分がやりたいことを後回しにするな、というのがロバートの口癖だ。つまり、この本を読んだ人がロバートが理想とする「知を愛する人」になってくれればいいと思っている。

ウィトゲンシュタインは屋根に登るためのハシゴは登り終わったら不要になると言っているが、この本もそうなれるとうれしい。レッツ・ブックオフ。

渋谷のセンター街・バーガーキングにて　ワタナベアニ

モーリス・マーティー

パリ在住。フランスの芸術家。『ロバート・ツルッパゲとの対話』のモデルは、尊敬する年上の友人であるマーティーしかいないと決めていた。表紙に出演することを快く承諾してくれた、マーティーと沙織さんに心から感謝します。

MARTY Maurice

Maurice Marty's skills cover the gamut of interior, surface and object works: he is a sculptor, a designer, an architect, a painter and interior designer. His influences and ideas come from everywhere, but his style is fiercely modern and recognizable. Working with an equally vast range of materials, he has exhibited his pieces and sculptures widely, designed the interiors of Paris nightclubs, hotels and high-end fashion stores, and is an unparalleled craftsman.

ワタナベアニ

1964年横浜生まれ。写真家・アートディレクター。広告プロダクション、株式会社ライトパブリシティ勤務を経て、独立。「45R」などのクリエイティブディレクションを手掛ける。日本テレビ『anone』ドラマポスターで日本広告写真家協会・優秀賞を受賞。雑誌・広告・ファッションカタログ、国内外での写真展を中心に活動。

ロバート・ツルッパゲとの対話

二〇二〇年一月三〇日　第一刷発行
二〇二一年五月三〇日　第四刷発行

著者　ワタナベアニ

発行人　吉満明子
発行所　株式会社センジュ出版
〒一二〇-〇〇三四
東京都足立区千住三-十六
電話　〇三-六三三七-三九二六
FAX　〇三-六六七七-五六四九
http://senju-pub.com

写真　ワタナベアニ
装幀　ワタナベアニ＋松田行正＋杉本聖士
校正　槇一八
DTP　江尻智行
印刷　シナノ書籍印刷株式会社
製本　株式会社新広社

 ISBN 978-4-908586-07-1

株式会社センジュ出版は「しずけさ」と「ユーモア」を大切にする、まちのちいさな出版社です。

「千住クレイジーボーイズ」 高羽彩 原作／諸星久美 ノベライズ
本文／224ページ　定価／1900円＋税
2017年8月25日発売　ISBN 978-4-908586-03-3 c0093

NHK地域発ドラマをノベライズ。

「意地の張りどころ。間違えんじゃねぇよ」――かつては一世を風靡したものの今や人気ガタ落ちのアラサーピン芸人・恵吾。貯金は底をつき、家も追い出され、昔組んでいた漫才コンビ「クレイジーボーイズ」の相方・行《ゆき》が住む東京足立区・北千住エリアの家に転がり込む。そこで出会うのは元ヤンキーの床屋や銭湯のダンナなど個性豊かなまちの面々。そのおせっかいさを恵吾は疎ましく感じるが、そんな人たちに触れるうち恵吾の日々に変化が生まれて…。千住のもの哀しさと温もりが詰まった物語。

センジュ出版の本

「ハイツひなげし」 古川誠著
本文／248ページ　定価／1800円＋税
2018年9月20日発売　ISBN 978-4-908586-04-0 c0093

ひとはよわくて、そしてやさしい。

新宿から電車で50分。東京郊外に建つ「ハイツひなげし」は、家賃5万円、6畳の和室と小さなキッチン、トイレ、バス付きの部屋が10室入ったアパート。住人たちは一見ばらばらに見えて、8号室の小田島さんにいく度となく救われている。アパートから近い遊園地のヒーローショーでヒーロー戦隊の「ブルー」を演じる小田島さん。マスクとスーツを脱いだ彼の存在は、紛れもなく、住人たちの、そしてみんなの、ヒーローそのものだった——。雑誌「OZ magazine」元統括編集長、初の書き下ろし長編小説。

「あの日ののぞみ246号」 中村文昭著
本文／216ページ 定価／1800円＋税
2018年12月20日発売 ISBN 978-4-908586-05-7 c0093

人を愛しく想う気持ちが、原動力になる。

高校生の新道湧《しんどうわく》は、人生に悩み、夏休みに一人大阪へ向かう。しかし、わかりやすい手応えを摑むこともできず、意気消沈した東京への帰り道。新幹線「のぞみ246号」車内で隣り合ったのは、作務衣に雪駄という怪しい風貌、おまけにお構いなしにこちらに話しかけてくる男性、アキさんだった。アキさんから、高校時代のある物語を聞いた湧は、その後、人生が大きく変わっていくことになり——。人気講演家が綴った、人生の集大成とも言える、初の書き下ろし青春小説。

「ぼくとわたしと本のこと」 高原純一＋SUN KNOWS著
本文／280ページ　定価／2000円＋税
2019年12月20日発売　ISBN 978-4-908586-06-4 c0095

わたしたちの20年に、本があった。

東京・自由が丘にキャンパスを持つ産業能率大学経営学部。2018年、高原純一ゼミに所属した21人の学生たちが「本」について書いた本。本好きもいれば本を読まなかったメンバーもいる中で、彼らが本と自分の関係を見つめ直したとき、見えてきたのはまぎれもない、この時代に浮かび上がった「本」そのものだった。「あなたにとって、本とは？」の問いに真剣に答えた20代がそれぞれに推薦する本も掲載され、江戸川区篠崎の書店「読書のすすめ」の小川貴史氏による解説も収録。